Paulo Coelho

Walkirie

przełożył
Jarek Jeździkowski

tytuł oryginału
As Valkirias

koncepcja graficzna
Michał Batory

zdjęcie Autora
Paul Macleod

redakcja i korekta
Bogna Piotrowska

przygotowanie do druku
PressEnter

This edition was published by arrangement
with Sant Jordi Asociados, Barcelona, Spain.

www.paulocoelho.com

ISBN 978-83-89933-31-7

Drzewo Babel
ul. Litewska 10/11 • 00-581 Warszawa
listy@drzewobabel.pl
www.drzewobabel.pl

Paulo **Coelho**

Walkirie

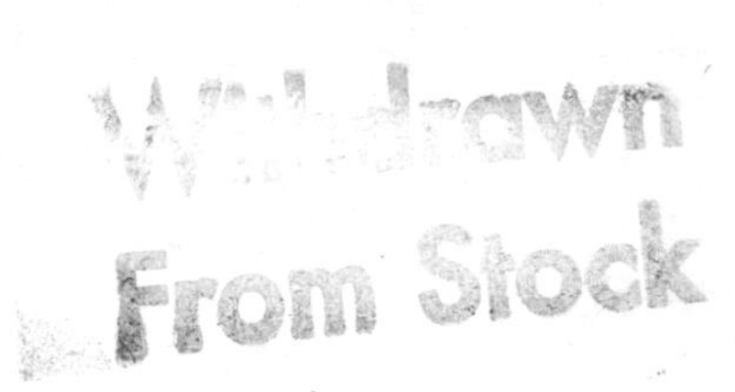

Imieniu, które zostało zapisane
12 października 1988 roku
w kanionie Glorieta

O Maryjo bez grzechu poczęta,
módl się za nami, którzy się do Ciebie uciekamy.
Amen

Naraz stanął przy nich anioł Pański
i chwała Pańska zewsząd ich oświeciła.

ŁUKASZ 2, 9

Wstęp

Spotkaliśmy się z J. wieczorem w restauracji przy plaży Copacabana w Rio de Janeiro. Z radością i entuzjazmem pisarza, który właśnie opublikował swoją drugą powieść, wręczyłem mu egzemplarze *Alchemika*. Wyjaśniłem, że dedykując mu książkę pragnąłem podziękować za wszystko, czego mnie nauczył w ciągu sześciu lat naszej wzajemnej przyjaźni.

Dwa dni później odprowadzałem go na samolot. Nocą w hotelu zdążył przeczytać kawałek mojej nowej powieści. Spacerowaliśmy po hali lotniska, kiedy rzucił: „Wszystko, co zdarza się raz, może już się nie przydarzyć nigdy więcej, ale to, co zdarza się dwa razy, zdarzy się na pewno i trzeci". Zapytałem, co ma na myśli. Przypomniał mi, że już dwukrotnie byłem bliski zrealizowania swoich największych marzeń i w ostatnim momencie wszystko popsułem. A potem zacytował fragment *Ballady o więzieniu w Reading* Oscara Wilda:

Każdy zabija kiedyś to, co kocha
– Chcę, aby wszyscy tę prawdę poznali.
Jeden to lepkim pochlebstwem uczyni,

Inny – spojrzeniem, co jak piołun pali.
Tchórz się posłuży wtedy pocałunkiem,
Człowiek odważny – ostrzem zimnej stali!

Nalegałem, żeby mi wyjaśnił, co ma na myśli. W odpowiedzi zalecił mi ćwiczenia duchowe świętego Ignacego Loyoli w wybranym przeze mnie, odludnym miejscu. Powiedział, że muszę przygotować się do tego, co mnie spotka w niedalekiej przyszłości. Dodał też, że u większości ludzi sukces wywołuje jednocześnie falę ogromnej radości i głębokie poczucie winy.

Zwierzyłem mu się wtedy z jednego z moich najskrytszych marzeń – od lat chciałem spędzić 40 dni na pustyni. Uznał to za bardzo dobry pomysł i zasugerował pustynię Mojave w Stanach Zjednoczonych. Znał tam kogoś, kto mógł mi pomóc w zaakceptowaniu czegoś, co kocham najbardziej – mojej pracy.

W *Walkiriach* opisałem swoje doświadczenia na pustyni i wydarzenia, które rozegrały się między 5 września a 17 października 1988 roku. Ich kolejność miejscami zmieniłem, a czasem uciekałem się do fikcji, żeby lepiej wyrazić to, co wydaje mi się najważniejsze. Jednak wszystkie opisane zdarzenia są prawdziwe. List zacytowany przeze mnie w epilogu został oficjalnie zarejestrowany w Urzędzie Notarialnym w Rio de Janeiro pod numerem 478038.

Walkirie

Prowadził od prawie sześciu godzin. Po raz setny zapytał siedzącą obok kobietę, czy na pewno jadą we właściwym kierunku, a ona po raz setny spojrzała na mapę. Jechali w dobrym kierunku, choć wokół widzieli bujną zieleń, rzekę obok drogi, szpaler drzew po obu stronach szosy.

– Zatrzymamy się na najbliższej stacji benzynowej i zapytamy – powiedziała.

Jechali w milczeniu, słuchając starych przebojów nadawanych w radiu. Wiedziała, że nie ma sensu nikogo pytać – jechali we właściwą stronę, mimo że roztaczający się wokół krajobraz wydawał się temu całkowicie przeczyć. Dobrze jednak znała swojego męża. Był rozdrażniony, pewien, że ona nie potrafi czytać mapy. Uspokoi się, jak kogoś zapytają.

– Po co tu przyjechaliśmy? – zagadnęła Chris.

– Muszę wykonać pewne zadanie – odpowiedział.

– Dziwne to twoje zadanie.

„Istotnie, dziwne zadanie", pomyślał. „Rozmowa z aniołem stróżem".

– Niebawem porozmawiasz ze swoim aniołem, a póki co, może byś zamienił kilka słów ze mną?

Nie przerywał milczenia, cały skoncentrowany na drodze przed sobą. „Pewnie jest przekonany, że pomyliłam trasę. Nie warto próbować”, poddała się. Marzyła, żeby jak najszybciej znaleźli jakąś stację benzynową. Na lotnisku w Los Angeles zaraz po przylocie wsiedli w samochód i od tamtej pory Paulo prowadził. Był już zmęczony i bała się, że może zasnąć za kierownicą.

Tymczasem nic nie wskazywało na to, że byli blisko celu podróży.

„Mogłam wyjść za jakiegoś inżyniera”, pomyślała.

Nie potrafiła się do tego przyzwyczaić. Nie rozumiała, jak można z dnia na dzień rzucić wszystko i pędzić na drugi kraniec świata w poszukiwaniu świętej drogi, miecza, anioła. Ileż można poświęcić, żeby podążać drogą magii? „Zawsze chciał stawiać wszystko na jedną kartę i podejmować nowe wyzwania. Nawet zanim poznał J.”.

Przypomniała sobie ich pierwsze spotkanie. Od razu poszli do łóżka, a w tydzień później wprowadziła się do niego. Wspólni znajomi ostrzegali ją, że Paulo para się okultyzmem. Pewnej nocy Chris zadzwoniła nawet do znajomego pastora z prośbą, żeby się za nią pomodlił.

W ciągu pierwszego roku życia pod wspólnym dachem Paulo jednym słowem nie wspomniał o czarach. Pracował dla wytwórni muzycznej i tyle.

W następnym roku było podobnie, z tym że Paulo zrezygnował z dotychczasowej posady i zatrudnił się w innej wytwórni.

W trzecim roku ich związku znowu zwolnił się z pracy (to ta wieczna potrzeba szukania nowych wrażeń!), żeby pisać scenariusze programów telewizyjnych. Wydawało jej się to dziwne – w końcu nie zmienia się pracy co rok – ale Paulo pisał, dobrze zarabiał, żyli na niezłym poziomie.

Nagle pod koniec trzeciego roku po raz kolejny bez słowa wyjaśnienia rzucił pracę. Powiedział tylko, że ma po dziurki w nosie tego, co robi i nie widzi sensu w zmienianiu w kółko pracy. Musi odkryć, czego naprawdę pragnie. Podjęli wszystkie oszczędności i wyruszyli w świat.

„Samochodem, dokładnie tak jak teraz", pomyślała Chris.

W Amsterdamie spotkali J. Jedli właśnie śniadanie w hotelu Brouwer nad kanałem Singel. Paulo zbladł na widok siedzącego niedaleko nich wysokiego, szpakowatego mężczyzny w nienagannie skrojonym garniturze. Mimo widocznego zdenerwowania podszedł do niego i zagadnął go o coś. Wieczorem w pokoju hotelowym wypił sam całą butelkę wina, a że miał słabą głowę, szybko się upił. Dopiero wtedy wyznał jej, że siedem długich lat poświęcił na zgłębianie magii (o czym Chris wiedziała już wcześniej). A potem – nie wyjaśnił jej dlaczego, choć kilka razy pytała – rzucił nauki tajemne i zerwał z okultyzmem.

– Dwa miesiące temu, w obozie w Dachau, miałem widzenie. Zobaczyłem wtedy tego mężczyznę – powiedział, mając na myśli J.

Doskonale pamiętała ten wieczór. Paulo płakał opowiadając, że czuje w sobie powołanie, tylko nie potrafi mu sprostać.

– Uważasz, że powinienem wrócić do magii? – spytał.

– Powinieneś – odpowiedziała, chociaż wcale nie była tego pewna.

Od spotkania z J. wszystko się zmieniło. Zaczęły się rytuały, ćwiczenia, magiczne praktyki, długie podróże w towarzystwie J., zwykle bez dokładnie określonej daty powrotu. A potem spotkania z tajemniczymi mężczyznami i kobietami, których otaczała wyczuwalna aura zmysłowości. Nastąpił czas prób i zadań, długich bezsennych nocy, weekendów spędzanych w czterech ścianach mieszkania. Jednak Paulo wydawał się teraz szczęśliwszy. Nie zmieniał pracy, tak jak poprzednio. Postanowił założyć małe wydawnictwo i zabrał się za coś, o czym zawsze marzył – zaczął pisać książki.

Wreszcie stacja benzynowa. Wyszła do nich dziewczyna o indiańskich rysach twarzy i zabrała się za uzupełnianie paliwa. Wysiedli z auta, żeby rozprostować nogi.

Paulo sprawdził na mapie trasę. Upewnił się, że jadą we właściwym kierunku.

„Teraz się uspokoi i może wreszcie zacznie ze mną rozmawiać", pomyślała.

– To tu według J. masz spotkać anioła? – spytała z wahaniem w głosie.

– Nie! – usłyszała.

„Przynajmniej w ogóle odpowiedział", pomyślała, podziwiając bujną roślinność w świetle zachodzącego słońca. Gdyby wcześniej nie sprawdzała wielokrotnie mapy, nie uwierzyłaby, że zbliżają się do celu. Jeszcze tylko jakieś dziesięć kilometrów, choć sądząc po krajobrazie dzielą ich setki mil.

– J. nie wskazał żadnego konkretnego miejsca – odezwał się Paulo. – Mogę wykonać zadanie gdziekolwiek. Ale mam tutaj swoje kontakty.

Oczywiście. Wszędzie miał swoje kontakty. Mówił o nich jako o adeptach Tradycji, ale Chris w swoim pamiętniku określała ich mianem „Konspiracja". Zwykły śmiertelnik nie ma pojęcia, ilu jest magów i czarowników rozsianych po świecie.

– Kogoś, kto rozmawia z aniołami?

– Nie jestem pewien. J. wspomniał kiedyś o pewnym mistrzu Tradycji, który mieszka w tej okolicy i opanował sztukę porozumiewania się z aniołami. To mogą być tylko plotki.

Całkiem możliwe, że mówił poważnie. Z drugiej strony równie dobrze mógł wybrać to miejsce spośród wielu innych, gdzie miał kontakty. Gdzie z dala od spraw codziennych mógł się skoncentrować na Niezwykłym.

– Jak zamierzasz rozmawiać ze swoim aniołem?

– Nie mam pojęcia.

„Dziwny sposób na życie", pomyślała, przyglądając mu się, jak podchodzi do Indianki i płaci za paliwo. Paulo wiedział jedynie, że czuje potrzebę rozmowy z aniołami. I to mu wystarczyło, żeby porzucić swoje obowiązki, wsiąść w samolot i lecieć dwanaście godzin z Brazylii do Los Angeles, wynająć samochód i prowadzić sześć godzin bez przerwy aż do tej stacji benzynowej. Teraz cierpliwie przez czterdzieści dni musi pozostać w tej okolicy, a wszystko po to tylko, żeby porozmawiać – albo dokładniej – próbować rozmawiać ze swoim aniołem stróżem!

Uśmiechnął się do niej. Odpowiedziała uśmiechem. W końcu nie było tak źle. Mieli jak każdy swoje kłopoty, rachunki do zapłacenia, czeki bez pokrycia, nudne wizyty towarzyskie, które czasem z powodu konwenansów musieli odbębnić, zwykłe ludzkie problemy.

Ale wciąż jeszcze wierzyli w anioły.

– Uda nam się, zobaczysz – rzuciła z uśmiechem.

– Dziękuję, że powiedziałaś „nam".

◎

Indianka potwierdziła, że jadą we właściwym kierunku, jeszcze jakieś dziesięć minut. Jechali w milczeniu, z wyłączonym radiem. Autostrada pięła się na łagodne wzniesienie. Dopiero na szczycie zdali sobie sprawę, jak wysoko się znaleźli. Od sześciu godzin powoli wznosili się wyżej i wyżej nawet tego nie zauważając.

Ale wreszcie dotarli.

Zaparkował na poboczu i wyłączył silnik. Wysiedli. Chris spojrzała za siebie. Szukała wzrokiem miejsca, skąd przyjechali. Chciała się upewnić, że pejzaż widziany zaledwie przed chwilą nie był przewidzeniem. Rzeczywiście, miejsce, gdzie tankowali, otoczone było zielonymi koronami drzew i soczystą roślinnością.

Przed nimi aż po sam horyzont rozpościerała się Mojave, ogromna pustynia rozciągająca się na terytorium pięciu stanów w kierunku Meksyku. Znała ją z wielu oglądanych w dzieciństwie filmów kowbojskich. Wielokrotnie słyszała też tajemnicze nazwy, takie jak Tęczowy Las czy Dolina Śmierci.

„Jest różowa", pomyślała, ale nie powiedziała tego głośno, gdyż Paulo stał nieruchomo, napięty, wpatrując się w bezkresną przestrzeń. Pewnie się zastanawiał, gdzie tu mieszkają anioły.

Na środku głównego placu Borrego Springs widać, gdzie miasteczko się zaczyna, a gdzie kończy. W mieście są trzy hotele, zimą pełne spragnionych słońca turystów.

Zostawili bagaże w pokoju i poszli na kolację do meksykańskiej restauracji. Kelner długo stał przy ich stoliku, próbując dociec, w jakim mówią języku. Bezskutecznie. Nie wytrzymał więc i zapytał, skąd przyjechali. Kiedy się dowiedział, że z Brazylii, przyznał, że nigdy w życiu nie spotkał żadnego Brazylijczyka.

– A dzisiaj poznałeś aż dwoje! – roześmiał się Paulo.

Pewnie jutro będzie już o nich huczało całe miasteczko. Niewiele się dzieje w Borrego Springs.

Po kolacji trzymając się za ręce poszli na spacer. Paulo chciał wyjść na pustynię, poczuć jej bezmiar, nawdychać się Mojave. Po pół godziny błądzenia po omacku wśród kamieni i skał zatrzymali się i spojrzeli na nieliczne światła Borrego Springs w oddali.

Z dala od miasteczka niebo wydawało się czystsze. Położyli się na ziemi i obserwowali spadające gwiazdy, na zmianę wypowiadając własne życzenia. Na bezksiężycowym niebie konstelacje błyszczały jaskrawym światłem.

– Miałaś kiedyś wrażenie, że czasem ktoś przypatruje ci się uważnie? – zapytał Paulo.

– Skąd o tym wiesz?

– Po prostu wiem. W pewnych chwilach podświadomie odczuwamy obecność aniołów.

Chris przypomniała sobie czasy, kiedy była nastoletnią dziewczyną. Wrażenie, o którym mówił Paulo, było wtedy dużo silniejsze.

– W takich chwilach – ciągnął Paulo – zaczynamy tworzyć w głowie coś w rodzaju filmu, w którym gramy główną rolę i jesteśmy pewni, że ktoś nas ogląda. A potem mijają lata, dorastamy i dawne odczucia wydają się nam idiotyzmem. Tłumaczymy sobie, że to tylko dziecinne fantazje o karierze aktorskiej. Z czasem zapominamy, jak silnie odczuwaliśmy czyjąś obecność, grając w wyimaginowanym spektaklu.

Zamilkł na dłuższą chwilę.

– Często kiedy patrzę w niebo, to uczucie powraca. Wtedy pytam samego siebie: kto na mnie patrzy?

– Kto na nas patrzy? – zapytała.

– Anioły. Posłańcy Boga.

Wpatrywała się w niebo. Chciała w to uwierzyć.

– Wszystkie bez wyjątku religie i każdy człowiek, który obcował z Nieznanym, opowiadają o aniołach – mówił. – Wszechświat jest pełen aniołów. Przynoszą nam nadzieję. Jak ten, który zwiastował pasterzom narodziny Mesjasza. Niosą także śmierć – jak ten, który przeszedł przez ziemię egipską, zabijając każdego, kto nie miał znaku na drzwiach swojego domu. Mogą nam zamknąć drogę do Raju – jak ten z ognistym mieczem w dłoni, albo zaprosić nas do Nieba – jak ten, który zaprosił Marię. Anioły otwierają pieczęcie zakazanych ksiąg i sygnałem trąb ogłaszają Sąd Ostateczny. Niosą światło jak Michał, albo ciemność jak Lucyfer.

– Anioły mają skrzydła? – spytała Chris nieśmiało.

– Nigdy jeszcze nie widziałem anioła – odpowiedział. – Ale często sam się nad tym zastanawiam. Zapytałem o to kiedyś J.

„Całe szczęście!", pomyślała z ulgą. „Nie ja jedyna zadaję tak naiwne pytania".

– Według J. anioły przyjmują postać odpowiadającą naszym wyobrażeniom. Są żywą myślą Boga. Dlatego przystosowują się do naszego sposobu widzenia świata. Zdają sobie sprawę, że tylko w ten sposób możemy je zobaczyć.

Paulo przymknął oczy.

– Wyobraź sobie anioła, a zaraz poczujesz jego obecność – powiedział.

Leżeli w milczeniu. Wokół panowała kompletna cisza. Chris poczuła się znowu jak aktorka filmowa grająca dla niewidzialnej publiczności. Im bardziej się skupiała, tym pewniejsza była czyjejś czułej, przyjaznej obecności. Wyobraziła sobie swojego anioła. Wyglądał dokładnie tak, jak te z obrazków z jej dzieciństwa: błękitna szata, złote, kręcone włosy i ogromne, białe skrzydła.

Paulo także wyobrażał sobie swojego anioła. Zagłębiał się w niewidzialnym świecie już niejeden raz, dlatego nie było to dla niego nowe doświadczenie. Ale odkąd J. powierzył mu nowe zadanie, obecność swojego anioła czuł intensywniej. Trochę tak, jak gdyby anioły pozwalały się dostrzec tylko tym, którzy wierzą w ich istnienie. Wiedział jednak, że bez względu na to, czy ktoś w nie wierzy czy nie, anioły istnieją od niepamiętnych czasów: posłańcy życia i śmierci, piekła i nieba.

Ubrał swojego anioła w długi, tkany złotem płaszcz. Potem dodał mu skrzydła.

Jedli śniadanie w restauracji.

– Radzę nie łazić nocą po pustyni – poradził siedzący przy stoliku obok policjant.

„Co za dziura!", pomyślała Chris. „Nic tu się nie ukryje, wszyscy o wszystkich wszystko wiedzą".

– Nocą pustynia jest najbardziej niebezpieczna – ciągnął policjant. – To pora węży i kojotów. Nie znoszą upałów i polują po zachodzie słońca.

– Szukaliśmy naszych aniołów – wyjaśnił Paulo.

Policjant pomyślał, że gość kiepsko mówi po angielsku. Przecież to nie ma sensu. Anioły! Pewnie chodziło mu o coś innego.

Szybko dopili kawę. „Kontakt" Paula wyznaczył spotkanie na wczesną porę.

◎

Chris zaskoczył wygląd Tooka. Był taki młody – nie więcej niż dwadzieścia lat. Mieszkał samotnie w przyczepie, kilka kilometrów od Borrego Springs.

– To jeden z mistrzów tej waszej Konspiracji? – szepnęła do męża, kiedy chłopak poszedł do przyczepy po mrożoną herbatę.

Zanim Paulo zdążył odpowiedzieć, gospodarz wrócił. Siedzieli na zaimprowizowanej werandzie pod brezentowym dachem rozpiętym wzdłuż jednego boku przyczepy.

Rozmawiali o rytuałach Templariuszy, reinkarnacji, sufickiej magii, kościele katolickim w Ameryce Łacińskiej. Młodzieniec sprawiał wrażenie oczytanego. Dyskusja mężczyzn śmieszyła ją. Zupełnie jak kibice sportowi broniący zaciekle pewnych taktyk i krytykujący inne.

Mówili o wszystkim, tylko nie o aniołach.

Słońce prażyło coraz mocniej. Popijali mrożoną herbatę. Uśmiechnięty Took zachwalał życie na pustyni. Twierdził jednak (tak samo jak policjant przy śniadaniu), że dla niedoświadczonych nocne spacery po pustyni mogą się skończyć tragicznie, ale szczególnie należy unikać najgorętszej pory dnia.

– Pustynia składa się z poranków i późnych popołudni – zawyrokował. – Cała reszta to zbyt duże ryzyko.

Chris przysłuchiwała się ich rozmowie, ale po jakimś czasie dała o sobie znać wczesna pobudka, a do tego drażniło ją jaskrawe światło słoneczne. Przymknęła oczy i po chwili zapadła w drzemkę.

◎

Kiedy się obudziła, odgłosy rozmowy dochodziły już z innego miejsca. Mężczyźni przenieśli się na tyły przyczepy.

– Po co przywiozłeś tu żonę? – usłyszała szept Tooka.

– Bo jechałem na pustynię – odpowiedział Paulo również szeptem.

– Ominie cię to, co na pustyni najlepsze – zaśmiał się Took. – Samotność.

(„Bezczelny smarkacz”, pomyślała Chris.)

– Opowiedz mi o Walkiriach – poprosił Paulo.

– Pomogą ci zobaczyć twojego anioła – zapewnił Amerykanin. – Przynajmniej mi pomogły. Pamiętaj jednak, że to twarde sztuki. Zazdrośnie strzegą anielskich sekretów. Jak wiesz, w królestwie aniołów pojęcia Dobra i Zła nie istnieją.

– Nie w taki sposób, jak my je rozumiemy.

To powiedział Paulo. Chris w zasadzie nie miała pojęcia, kim są Walkirie. Mętnie sobie tylko przypominała jakąś operę.

– Dużo trudu cię kosztowało zobaczenie swojego anioła?

– Raczej bólu. A wszystko stało się tak nagle. Walkirie zatrzymały się w tej okolicy. Dla zabawy postanowiłem się tego od nich nauczyć, chociaż jeszcze nie rozumiałem pustyni. Po prostu chciałem zakosztować czegoś nowego. Mój anioł pojawił się na tamtym, trzecim z kolei wzgórzu. Łaziłem po nim bez celu ze słuchawkami na uszach. W tamtym czasie potrafiłem już panować nad drugim umysłem.

(„Co to jest, u diabła, ten drugi umysł?!")

– Twój ojciec cię tego nauczył?

– Nie. Kiedy go zapytałem, dlaczego nigdy słowem nie wspomniał o aniołach, odpowiedział, że rzeczy najważniejsze należy odkrywać samemu.

Przez chwilę milczeli.

– Jeżeli spotkasz Walkirie, pamiętaj, że istnieje coś, co bardzo pomoże ci się z nimi porozumieć – powiedział chłopak.

– Co to takiego?

– Sam się domyślisz – roześmiał się Took. – Szkoda tylko, że zabrałeś ze sobą żonę.

– Czy twój anioł miał skrzydła? – zapytał Paulo.

Zanim Took odpowiedział, Chris wstała z aluminiowego krzesełka i stanęła przed mężczyznami.

– Właściwie dlaczego tak mu przeszkadza moja obecność? – spytała po portugalsku. – Mam się wynieść?

Took dalej mówił, jakby jej nie zauważając. Odczekała chwilę na odpowiedź, ale wyglądało na to, że stała się niewidzialna.

– Daj mi kluczyki od samochodu! – wycedziła przez zęby. Miała tego dość.

– Czego chce twoja żona? – zapytał Took.

– Chce się dowiedzieć, co to jest drugi umysł.

(„Cholera! Po dziewięciu latach wspólnego życia potrafi czytać w moich myślach!")

Chłopak wstał z krzesełka.

– Usiądź i zamknij oczy – powiedział stanowczo. – Zaraz wszystko ci wyjaśnię.

– Nie przyjechałam na pustynię, żeby uczyć się magii ani rozmawiać z aniołami. Dotrzymuję towarzystwa mężowi.

– Usiądź – nalegał Took z uśmiechem.

Spojrzała w stronę Paula, ale z wyrazu jego twarzy niewiele mogła wyczytać.

„Akceptuję ten ich świat, ale ze mną nie ma on nic wspólnego", pomyślała. Wprawdzie wszyscy znajomi byli przekonani, że przejęła styl życia męża, w rzeczywistości rozmawiali sporadycznie na temat jego okultystycznych zainteresowań. Czasami razem podróżowali, poznała Drogę św. Jakuba, raz niosła Paula miecz, sporo wiedziała o magii seksualnej. Ale to było wszystko. J. nigdy nie zaproponował, że czegoś ją nauczy.

– Paulo, co mam zrobić? – zapytała.

– Sama zadecyduj – odpowiedział.

„Kocham go, a wszystko, czego się dowiem o jego świecie, zbliży nas", pomyślała. Podeszła do aluminiowego krzesełka, usiadła i zamknęła oczy.

– O czym myślisz? – zapytał Took.

– O tym, o czym rozmawialiście: jak by to było, gdyby Paulo podróżował beze mnie. Myślę o drugim umyśle i o tym, czy jego anioł ma skrzydła. No i chcę się dowiedzieć, dlaczego to wszystko tak bardzo mnie fascynuje. W końcu sama nigdy nie rozmawiałam z aniołami.

– Nie, nie o to chodzi. Pytałem, czy coś jeszcze dzieje się w twoich myślach, coś nad czym nie masz kontroli.

Na skroniach poczuła dotyk jego dłoni.

– Rozluźnij się. Spokojnie – mówił łagodnym tonem. – O czym myślisz?

Dźwięki i głosy. Dopiero teraz zdała sobie sprawę, o czym naprawdę myślała cały dzień.

– Jakaś melodia – powiedziała w końcu. – Nucę ją bez ustanku od kiedy wczoraj usłyszałam ją w radiu.

Rzeczywiście nuciła ją na okrągło. Nie mogła się od niej odczepić.

Took poprosił, żeby otworzyła oczy.

– To właśnie umysł nieświadomy, czyli drugi umysł – powiedział. – To on nuci tę piosenkę. Nie zawsze jest to melodia. Może być cokolwiek. Jeśli jesteś zakochana, tam w środku tkwi osoba, którą kochasz. Z drugim umysłem niełatwo sobie poradzić. Podświadomość pracuje niezależnie od twojej woli.

Wybuchnął śmiechem.

– Wyobraź sobie! Melodia! – zwrócił się do Paula. – Nie zawsze jest to melodia. Czy kiedykolwiek twój drugi umysł całkowicie zaprzątała ukochana osoba? To okropne uczucie. Podróżujesz, żeby zapomnieć, ale twój drugi umysł stale ci przypomina: „Spodobałoby się jej tutaj”, „Jaka szkoda, że jej tu nie ma!”.

Chris była zaskoczona. Nigdy przedtem nie zdawała sobie sprawy z istnienia tego faktu. Miała dwa umysły. I oba pracowały jednocześnie.

◎

Took podszedł do niej.

– Zamknij oczy – polecił. – Przypomnij sobie horyzont, na który przed chwilą patrzyłaś.

Próbowała wykonać jego polecenie, ale nic jej z tego nie wychodziło.

– Nie mogę – powiedziała nie otwierając oczu. – Nie patrzyłam na horyzont. Wiem, że jest wokół mnie, ale mu się nie przyglądałam.

– Otwórz więc oczy i popatrz.

Chris rozejrzała się. Góry, skały, kamienie, skąpa roślinność. Nad tym wszystkim słońce, coraz jaskrawsze, przenikające przez ciemne szkła okularów, oślepiające.

– Jesteś tu – rzekł Took poważnym głosem. – Postaraj się poczuć, że jesteś w tym miejscu, a wszystko co cię otacza zmienia cię, podobnie jak ty wszystko zmieniasz wokół siebie.

Chris wpatrywała się w pustynię.

– Żeby zgłębić świat niewidzialny i rozwinąć swoje zdolności, musisz żyć teraźniejszością: *tu i teraz*. A żeby żyć teraźniejszością, musisz nauczyć się kontrolować drugi umysł. I wpatrywać się w horyzont.

Poprosił, żeby skoncentrowała się na melodii, która cały dzień ją prześladowała: „When I fall in love". Nie znała słów, wymyślała je, albo nuciła laraj-lara-lala.

Chris skupiła się. Po chwili melodia umilkła. Była gotowa wykonywać polecenia Tooka.

Ten jednak nie miał nic więcej do powiedzenia.

– Chcę teraz zostać sam – rzucił. – Wróćcie pojutrze.

Schronili się w klimatyzowanym pokoju hotelowym przed południowym skwarem – prawie pięćdziesiąt stopni Celsjusza. Nie zabrali ze sobą nic do czytania, nie mieli nic do roboty. Próbowali pospać, ale nie mogli zmrużyć oka.

– Chodźmy przyjrzeć się z bliska pustyni – zaproponował Paulo.

– Za gorąco. Took uważa, że to zbyt niebezpieczne. Pójdziemy jutro rano.

Paulo milczał. Była przekonana, że stara się wyciągnąć jakąś naukę z tego bezczynnego tkwienia w hotelowym apartamencie. Zawsze próbował nadać sens wszystkiemu, co się działo w jego życiu.

A to było trudne. Szukanie sensu w każdej przeżywanej chwili wymagało stałej koncentracji i było męczące. Paulo nigdy nie potrafił się odprężyć. Często zastanawiała się, jak długo jej mąż wytrzyma takie stałe napięcie, to życie na wysokich obrotach.

– Kim jest Took?

– Jego ojciec jest potężnym magiem i chce, żeby Took kontynuował tradycje rodzinne – tak jak ojciec inżynier ma nadzieję, że syn wybierze tę samą karierę.

– Taki młody, a zgrywa się na dojrzałego mężczyznę. Traci najlepsze lata swojego życia na pustyni.

– Wszystko ma swoją cenę. Jeżeli Took przejdzie pomyślnie wszystkie próby i nie porzuci Tradycji, stanie się pierwszym tak młodym mistrzem. Zapoczątkuje nową generację mistrzów należących do współczesnego świata. Starzy mistrzowie, choć rozumieją dzisiejszy świat, nie potrafią go wyjaśnić.

Paulo wyciągnął się na łóżku i zaczął przeglądać jedyną broszurę, jaką znalazł: *Przewodnik po miejscach noclegowych pustyni Mojave*. Nie chciał wyjaśniać teraz żonie drugiego powodu, dla którego Took zamieszkał na pustyni. Jako obdarzony silnie rozwiniętymi mocami paranormalnymi, został przygotowany przez Tradycję do tego, żeby działać w czasie, kiedy bramy Raju się otworzą.

Chris chciała rozmawiać. W czterech ścianach hotelowego pokoju opanował ją lęk. W przeciwieństwie do męża nie zamierzała szukać sensu w każdej minucie swojego życia. Była po prostu człowiekiem i nie aspirowała do roli jednej z istot wybranych.

– Nie bardzo rozumiem, czego Took chciał mnie nauczyć – powiedziała. – Przyznaję, samotność i pustynia stwarzają warunki do głębszej relacji ze światem niewidzialnym. Uważam jednak, że w efekcie człowiek traci kontakt z innymi ludźmi.

– Daj spokój! Na pewno ma gdzieś w okolicy jakąś dziewczynę, a może dwie – uciął Paulo, żeby wymigać się od dalszej rozmowy.

„Jeżeli tak będą wyglądały pozostałe 39 dni w tych czterech ścianach, popełnię samobójstwo”, pomyślała.

Po południu wyszli do baru po drugiej stronie ulicy. Paulo wybrał stolik przy oknie.

– Przyglądaj się bacznie wszystkim przechodniom – poprosił.

Zamówili ogromne porcje lodów. Wcześniej przez kilka godzin koncentrowała się na drugim umyśle i zyskała nad nim sporą kontrolę, ale apetytu nigdy nie potrafiła poskromić.

Uważnie obserwowała ludzi za oknem. W ciągu pół godziny ulicą obok baru przeszło pięć osób.

– Co zauważyłaś?

Opisała przechodniów w szczegółach: ich strój, wiek w przybliżeniu, bagaż. Nie o to jednak mu chodziło. Chciał więcej, starał się wydobyć z niej jakąś, według niego prawidłową odpowiedź. Bez skutku.

– Dobrze, skończmy z tym przepytywaniem – zadecydował. – Powiem ci, w czym rzecz. Wszyscy przechodnie patrzyli pod nogi.

Po chwili kolejna osoba przeszła za oknem. Miał rację, patrzyła w dół.

– Took kazał ci obserwować linię horyzontu. Zrób to.

– Wyjaśnij mi, dlaczego mam patrzeć w horyzont.

– Ludzie i zwierzęta, wszyscy bez wyjątku, tworzymy wokół siebie coś w rodzaju „magicznej przestrzeni". Z reguły to okrąg o promieniu pięciu metrów. Bacznie przypatrujemy się wszystkiemu, co się pojawia w tym polu. Nie jest ważne, czy są to ludzie, stoły, aparaty telefoniczne czy witryny sklepowe. Staramy się utrzymać kontrolę nad tym maleńkim skrawkiem świata, który stworzyliśmy wokół siebie. Tymczasem czarodziej zawsze patrzy w dal. Świadomie powiększa tę „magiczną przestrzeń" i stara się panować nad dużo większym obszarem. Nazywamy to „patrzeniem w horyzont".

– Dlaczego ja mam to robić?

– Bo jesteś tu. A jeśli spróbujesz, odkryjesz, jak wszystko wokół ciebie się zmienia.

Po wyjściu z baru starała się koncentrować na odległych przedmiotach. Patrzyła na góry, na z rzadka płynące po niebie obłoki, które zapowiadały zachód słońca. Doznała dziwnego uczucia, jakby widziała samą strukturę powietrza, które ją otacza.

– Wszystko, co powiedział Took, jest bardzo ważne – oznajmił. – On już widział swojego anioła stróża, rozmawiał z nim. Jestem pewien, że użyje właśnie ciebie, żeby pokazać mi, jak to się robi. Istnieje jednak bardzo ważna zasada, o której musimy pamiętać. Took zna moc słowa. Wie, że udzielona komuś rada, jeżeli nie zostanie wykorzystana, wraca do tego, kto jej udzielił i traci swoją energię. Took musi się najpierw przekonać, że interesuje cię to, co on ma ci do zaoferowania.

– A dlaczego nie wyjaśni wszystkiego bezpośrednio tobie?

– Takie jest niepisane prawo Tradycji. Mistrz nie przekazuje nauk uczniowi innego mistrza. A ja jestem uczniem J. Chce mi pomóc i dlatego wybrał ciebie w tym celu.

– I dlatego mnie tu ze sobą przywiozłeś?

– Odpowiedź brzmi nie. Poprosiłem, żebyś ze mną pojechała, bo obawiałem się pustyni, nie chciałem tu być sam.

„Mógł powiedzieć, że zabrał mnie ze sobą, bo mnie kocha", pomyślała. „A więc to był prawdziwy motyw".

Zaparkowali na poboczu wąskiej drogi. Od spotkania z Tookiem minęły dwa dni. Cieszyła się na myśl o tym, że dziś zobaczą go znowu.

Było jeszcze wcześnie rano. Dni na pustyni mijają bardzo powoli.

Zgodnie z zaleceniami Tooka, wpatrywała się w horyzont. Widziała góry, powstałe miliony lat temu, przecinające pustynię szerokim pasmem. Trzęsienia ziemi, które dały im początek, miały miejsce w dalekiej przeszłości, jednak wszędzie widać było ich ślady. Teren wznosił się najpierw łagodnie w kierunku gór, by dalej, nieco wyżej, rozstąpić się niczym rana, z której ku niebu wystrzeliwały nagie ściany skał.

Między pasmem gór a ich samochodem rozciągała się kamienista dolina, gdzieniegdzie porosła ubogą roślinnością: ciernistymi krzewami, jukkami i kaktusami, uparcie broniącymi życia w nieprzyjaznym środowisku. Pośrodku doliny zobaczyli ogromną, białą plamę wielkości pięciu piłkarskich stadionów. W świetle porannego słońca błyszczała jak ośnieżone pole.

– Sól. Wyschnięte słone jezioro.

Oczywiście. Kiedyś ta gorąca pustynia była dnem oceanu. Raz w roku mewy znad Pacyfiku przemierzają setki kilometrów w głąb lądu, żeby na pustyni pożywić się pewnym gatunkiem krewetek, które pojawiają się tutaj w porze deszczów. Człowiek często zapomina, skąd przybył. Przyroda nigdy.

– To jakieś pięć kilometrów – odezwała się Chris.

Paulo spojrzał na zegarek. Było wcześnie. Wpatrywali się w horyzont, a on oferował im wyschnięte słone jezioro. Godzina w jedną stronę, godzina z powrotem. Niczego nie ryzykują. Wrócą, zanim słońce stanie w zenicie.

Przytroczyli do pasków bidony z wodą. Paulo włożył do małej torby papierosy i Biblię w kieszonkowym wydaniu. Zamierzał odczytać wybrany na chybił trafił werset, kiedy dotrą na miejsce.

◎

Ruszyli w drogę. Kiedy to tylko było możliwe, Chris starała się bacznie obserwować horyzont. Proste ćwiczenie, ale dające zaskakujące efekty. Poczuła się lepiej, była wolna, jak gdyby jej energia wewnętrzna pomnożyła się kilkakrotnie. Po raz pierwszy żałowała, że dotąd mało ją interesowała Konspiracja Paula, a jego rytuały wydawały się zbyt trudne dla zwykłego śmiertelnika, dostępne tylko dla pełnych determinacji wtajemniczonych.

Szli nie śpiesząc się przez pół godziny. Jezioro wydawało się przesuwać razem z nimi – dzieliła ich od niego ciągle taka sama odległość.

Maszerowali kolejną godzinę. Przeszli z pewnością siedem kilometrów, a jezioro wydawało się tylko odrobinę bliżej.

Poranek się skończył. Słońce paliło coraz mocniej.

Paulo odwrócił się i spojrzał w kierunku, z którego przyszli. Widział w oddali maleńki czerwony punkcik, ich samochód. Nie sposób się zgubić. Kiedy wypatrywał auta, zdał sobie sprawę z czegoś ogromnie ważnego.

– Zatrzymajmy się tutaj – zdecydował.

Zeszli ze ścieżki i podeszli do najbliższej skały. Niemal wtulali się w kamień, żeby znaleźć dla siebie odrobinę cienia. Na całej pustyni cień można znaleźć tylko wcześnie rano i przed zachodem słońca, właśnie między skałkami.

– Źle to wyliczyliśmy – zawyrokował.

Chris zauważyła to już wcześniej. Paulo, który zawsze potrafił właściwie ocenić odległość, tym razem nie oponował, kiedy mówiła o pięciu kilometrach.

– Wiem skąd ta pomyłka – ciągnął Paulo. – Na pustyni nie ma żadnych punktów odniesienia, drzew, słupów wysokiego napięcia, domów, iglic kościołów. Wiemy mniej więcej, jaką mają one wysokość, dzięki czemu łatwiej nam oszacować odległość.

W miejscu, w którym się znaleźli, nie było takich punktów odniesienia. Jedynie skałki, które widzieli po raz pierwszy w życiu, pasmo gór o nieznanej wysokości i niskopienna roślinność. Dopiero na widok odległego punkcika samochodu Paulo zdał sobie sprawę z tego, że przeszli więcej niż siedem kilometrów.

– Odpoczniemy trochę i trzeba wracać.

„Wszystko mi jedno", pomyślała. Spodobało się jej wpatrywanie w linię horyzontu. To było zupełnie nowe doświadczenie.

– Cała ta historia z wpatrywaniem się w horyzont...

Czekał, aż dokończy. Wiedział, że bała się ośmieszyć brakiem wiedzy o ezoteryce.

– Wydaje się... sama nie wiem jak to wytłumaczyć..., że dusza we mnie urosła.

„Bardzo dobrze", ocenił Paulo. „Jest na właściwej drodze".

– Wcześniej, kiedy wpatrywałam się w dal, miałam wrażenie, że wszystko jest rzeczywiście odległe. Wszystko to, co widziałam, wydawało się nie być częścią mojego świata. Od dzieciństwa uczono mnie patrzeć przed siebie, ale widzieć rzeczy znajdujące się blisko mnie. Dwa dni temu nauczyłam się patrzeć w dal. Odkryłam, że poza stołami, krzesłami i innymi przedmiotami, które widzę na co dzień, do mojego świata należą też góry, obłoki i niebo. Wtedy urosła we mnie dusza. Dusza, która własnym wzrokiem dotyka tych oddalonych rzeczy!

„Świetnie to ujęła”, pomyślał.

– Dusza we mnie rośnie – powtórzyła.

Otworzył torbę, wyjął paczkę papierosów i zapalił jednego.

– Każdy może tego doświadczyć. Jednak ludzie wolą widzieć tylko to, co jest najbliżej, najchętniej koniec własnego nosa. A wtedy – używając twojego określenia – ludzka moc słabnie, a dusza się kurczy. Dusza to nic innego jak my sami. To nie oceany, góry, poznawane osoby, czy cztery ściany naszych domów.

Spodobało mu się wyrażenie „dusza we mnie rośnie”. W rozmowie z gorliwym okultystą z pewnością usłyszałby bardzo zawiłe wyjaśnienia w rodzaju: „doznałem przypływu świadomości”, ale zaproponowany przez żonę termin uznał za bliższy rzeczywistości.

Zgasił papierosa. Nie było sensu iść dalej, lada chwila temperatura mogła sięgnąć pięćdziesięciu stopni. Do zaparkowanego samochodu było daleko, ale znajdował się w zasięgu ich wzroku. Wystarczy półtorej godziny marszu, żeby znaleźć się w jego klimatyzowanym wnętrzu.

Ruszyli w drogę powrotną. Pośrodku bezkresnej pustyni poczuli w sercach gwałtownie narastające uczucie wolności.

– Rozbierzmy się – zaproponował Paulo.

– Nie boisz się, że ktoś zobaczy? – spytała bezwiednie.

Paulo roześmiał się. Wokół rozpościerało się bezkresne pustkowie. Dzień wcześniej, kiedy łazili po pustyni wcześnie rano i przed zachodem słońca, widzieli tylko dwa samochody. Słyszeli, jak nadjeżdżają na długo, zanim pojawiły się w zasięgu ich wzroku. Na pustyni królowały słońce, wiatr i cisza.

– Widzą nas tylko nasi aniołowie – rzucił w odpowiedzi. – A dla nich w naszej nagości nie ma nic gorszącego.

Ściągnął bermudy i koszulkę, odwiązał bidon. Włożył wszystko do swojej torby.

Chris z trudem powstrzymując śmiech też się szybko rozebrała. Po chwili przez pustynię Mojave maszerowały dwa golasy w sportowym obuwiu, ciemnych okularach i czapeczkach z daszkiem. Mężczyzna dźwigał dodatkowo wypchaną torbę. Ten widok rozbawiłby każdego.

◎

Szli przez pół godziny szybkim marszem. Samochód był wciąż maleńkim punkcikiem na horyzoncie, ale w przeciwieństwie do słonego jeziora przybliżał się z każdym krokiem. W krótkim czasie powinni dojść do celu.

Nagle Chris poczuła straszliwe zmęczenie.

– Odpocznijmy trochę – poprosiła.

Zatrzymał się.

– Nie dam rady dalej tego dźwigać – poskarżył się. – Jestem piekielnie zmęczony.

Jak to? On nie da rady? Ciężar, o którym mówił, to dwa bidony, każdy wypełniony do połowy wodą, najwyżej trzy kilogramy.

– Nie możemy się tego pozbyć. Potrzebujemy wody.

Oczywiście, musiał dźwigać wodę.

– Chodźmy już! – rzucił zniecierpliwiony.

„Jeszcze przed chwilą był taki romantyczny, a teraz się złości", zauważyła. Postanowiła się nie przejmować, chociaż była wyczerpana.

Przeszli jeszcze kilkaset metrów, coraz bardziej znużeni. Zacisnęła zęby, nie chciała się skarżyć, żeby go bardziej nie denerwować.

„Co za głupota!", rozmyślała. „Wściekać się, kiedy wokół tak pięknie i to zaraz po takiej interesującej rozmowie...".

Właśnie, nie mogła sobie przypomnieć, o czym właściwie rozmawiali. Zresztą to nie miało żadnego znaczenia. Była zbyt zmęczona, żeby w ogóle myśleć o czymkolwiek.

Paulo zatrzymał się i upuścił torbę na ziemię.

– Musimy odpocząć – zarządził.

Już się nie wściekał. Wyglądał na wycieńczonego, tak samo jak ona.

Nie znaleźli nigdzie skrawka cienia. Padali z nóg.

Usiedli na rozgrzanym piasku, który palił nagą skórę jak ogień. Nie przejmowali się tym. Potrzebowali odpoczynku. Chociaż przez krótką chwilę.

Przypomniała sobie, o czym rozmawiali: o horyzoncie. Niezależnie od niej jej dusza urosła teraz do niesłychanych rozmiarów, a drugi umysł całkowicie się wyciszył. Nie nuciła piosenek, nie powtarzała w kółko natrętnych myśli, nie przejmowała się, czy ktoś widzi ich spacerujących nago po pustyni.

Wszystko utraciło dawną ważność. Niczym się nie martwiła, nic nie burzyło jej spokoju, była wolna.

Przez kilka minut siedzieli w milczeniu. Z góry lał się żar, ale to też im nie przeszkadzało. Przecież w bidonach mieli dość wody.

– Lepiej już chodźmy. Do samochodu jest niedaleko. Włączymy klimatyzację i odpoczniemy w środku.

Ogarniała ją senność. Marzyła, żeby pospać choć chwilę. Mimo to podniosła się.

Przeszli jeszcze kawałek. Samochód był tuż obok, nie dalej niż dziesięć minut marszu.

– Jesteśmy tak blisko. Połóżmy się na moment. Pięć minut drzemki dobrze nam zrobi.

Pięć minut drzemki? Czemu teraz o tym mówi? Czyżby czytał w jej myślach? Może i jemu chce się spać? Co złego w krótkiej drzemce? Przynajmniej się opalą, jakby spędzili dzień na plaży.

Znowu usiedli. Maszerowali ponad godzinę, nie licząc przystanków. Nie ma nic złego w krótkiej drzemce.

Usłyszeli zbliżający się samochód. Godzinę wcześniej zerwałaby się na równe nogi i w pośpiechu ubrała, ale teraz to było bez znaczenia. Niech się gapi, kto chce. Nie musi się nikomu tłumaczyć. Marzyła, żeby pospać. To wszystko.

Spokojnie śledzili wzrokiem jadącego drogą pikapa. Minął ich auto zaparkowane na poboczu i zatrzymał się kilka metrów dalej. Wysiadł z niego jakiś mężczyzna i zbliżył się do ich samochodu. Zajrzał do środka, obszedł wóz dookoła, dokładnie oglądając każdy szczegół.

„Może to złodziej?", pomyślał Paulo. Wyobraził sobie, jak facet odjeżdża ich samochodem, a oni zostają sami w środku pustyni bez możliwości powrotu. Zostawił kluczyki w stacyjce – bał się zgubić je podczas spaceru.

Znajdowali się przecież na pustyni. Może w Nowym Jorku kradnie się samochody, ale na pewno nie tu.

Chris wpatrywała się w pustynię. Mieniła się złotem! W niczym nie przypominała tej o zachodzie słońca, różowej.

Ogarniała ją słodka błogość. Czuła się lekko, była wypoczęta. Żar z nieba wcale jej nie przeszkadzał. Ludzie nie mają pojęcia, jak piękna jest pustynia w środku dnia!

Mężczyzna zakończył oględziny samochodu, odwrócił się w stronę pustyni i przysłaniając oczy dłonią zaczął czegoś wypatrywać. Szukał ich.

Była naga... a on ją zobaczy. Ale to nieważne. Paulo też się nie przejmuje.

Nieznajomy szedł teraz szybko w ich stronę. Uczucie lekkości i euforii przybierało na sile. Wyczerpanie nie pozwalało im wykonać żadnego ruchu. Pustynia była przepiękna, złocista. Dokoła niebiański wprost spokój. Anioły. Tak! Lada chwila ukażą się anioły! Przecież po to przybyli na pustynię – żeby rozmawiać z aniołami!

Była naga i nie odczuwała wstydu. Była wolna.

Mężczyzna stanął nad nimi. Mówił w jakimś dziwnym, niezrozumiałym języku. Nie rozumieli, o co mu chodzi.

Paulo wytężył całą swoją uwagę. Nieznajomy mówił po angielsku. Przecież byli w Stanach Zjednoczonych.

– Chodźcie ze mną! – rozkazał.

– Musimy odpocząć – rzekł Paulo. – Choćby z pięć minut.

Mężczyzna podniósł torbę i ją otworzył.

– Załóż to! – polecił Chris, podając jej ubranie.

Z trudem podniosła się i posłusznie zaczęła się ubierać. Była zbyt zmęczona, żeby oponować.

Mężczyzna kazał ubrać się Paulowi. Ten również, zbyt zmęczony, nie protestował. Nieznajomy zajrzał do napełnionych wodą bidonów. Nalał wody do nakrętki i kazał im wypić.

Nie czuli pragnienia, ale wykonali polecenie. Stali spokojnie, całkowicie pojednani ze światem, nie mieli chęci się sprzeciwiać.

Zrobiliby wszystko, wykonali każde polecenie, byleby tylko zostawił ich w spokoju.

– Idziemy! – rozkazał nieznajomy tonem nieznoszącym sprzeciwu.

Nie byli zdolni do myślenia. Pustym wzrokiem wpatrywali się w pustynię. Wszystko by dali za chwilę snu.

Nieznajomy poprowadził ich do samochodu, poprosił, żeby wsiedli, włączył silnik. „Dokąd on nas wiezie?”, pomyślał Paulo. Ale właściwie było mu to obojętne. Cały świat ogarnął błogi spokój, a on pragnął jedynie zasnąć.

Kiedy się obudził, poczuł jak żołądek podchodzi mu do gardła, mdliło go.

– Poleż jeszcze trochę.

Ktoś do niego przemawiał, ale Paulo miał w głowie taki chaos, że nic nie rozumiał. Pamiętał tylko złoto pustyni, gdzie panował błogi spokój.

Poruszył się. Miliony igieł wbiły mu się w czaszkę.

„Spróbuję zasnąć", postanowił. Nie udawało się, bo ciągle czuł ukłucia igieł i było mu niedobrze.

– Chce mi się rzygać – powiedział głośno.

Otworzył oczy. Znajdował się w jakimś sklepiku: kilka lodówek z napojami chłodzącymi i półki z żywnością. Rozejrzał się, widok jedzenia znów przyprawił go o mdłości. Zobaczył przed sobą mężczyznę, którego nigdy przedtem nie widział.

Obcy pomógł mu się podnieść. Paulo oprócz igieł w głowie miał jeszcze jedną, wbitą w ramię. Ta nie była wytworem jego wyobraźni.

Nieznajomy wziął do ręki woreczek z płynem fizjologicznym sączącym się przez igłę i zaprowadził go do łazienki. Zwymiotował samą wodą.

– Co mi jest? Po co ta igła?

To był głos Chris. Mówiła po portugalsku. Wrócił do sklepu i zobaczył żonę siedzącą na krzesełku. Ją także podłączono do kroplówki.

Paulo poczuł się nieco lepiej. Mógł się poruszać o własnych siłach. Pomógł żonie podnieść się z krzesła i zaprowadził ją do łazienki, żeby zwymiotowała.

– Pojadę waszym wozem po swój – oznajmił nieznajomy. – Wasz zostawię dokładnie w tym samym miejscu, z kluczykami w stacyjce. Jak poczujecie się lepiej, poproście kogoś z hotelu, żeby was tam podrzucił.

Powoli przypominał sobie, co się zdarzyło na pustyni. Powróciły nudności i znów musiał pójść do łazienki.

Zanim wrócił, obcy mężczyzna odjechał. Poza nimi w sklepie był jeszcze chłopak, siedemnasto-, może osiemnastoletni.

– Posiedzicie jeszcze godzinkę – zwrócił się do nich uprzejmie. – Płyn się skończy i wtedy możecie wracać do hotelu.

– Która godzina?

Chłopak spojrzał na zegarek. Paulo zebrał wszystkie siły, żeby się podnieść. Był umówiony na ważne spotkanie, pod żadnym pozorem nie mógł się spóźnić.

– Muszę spotkać się z Tookiem – powiedział do Chris.

– Siadaj! – stanowczo powtórzył nieznajomy. – Pójdziesz, kiedy skończy się kroplówka.

Dwa razy nie musiał powtarzać, bo Paulo z trudem trzymał się na nogach, nie mówiąc o chodzeniu. Nawet do drzwi nie zdołałby dojść.

„No to po spotkaniu", zawyrokował. Ale się nie przejął. Tak naprawdę, nic teraz nie wydawało się ważne. Im mniej myślał, tym lepiej się czuł.

– Piętnaście minut – rzekł Took. – Potem następuje śmierć. Nawet tego nie zauważasz.

Znajdowali się znowu przy starej przyczepie. Było popołudnie następnego dnia. Wszystko dookoła skąpane w różowym świetle. Nic wokół nie przypominało o poprzednim dniu: złocistym kolorze pustyni, bólu głowy, wymiotach.

Przez całą dobę nie zmrużyli oka. Wymiotowali po przełknięciu każdego kęsa. Teraz przykre sensacje powoli ustępowały.

– Całe szczęście, że horyzonty waszej świadomości się poszerzyły – ciągnął chłopak. – Przyzywaliście anioły i anioł was uratował.

„Lepiej gdyby powiedział «wasze dusze urosły»", myślał Paulo. „Poza tym, nasz wybawiciel nie był aniołem. Jeździł starym pikapem i mówił po angielsku. Chłopak dorabia wielkie teorie do zwykłych zdarzeń".

– Włączaj silnik! Jedziemy! – zwrócił się Took do Paula, po czym bez zbędnych ceregieli zajął miejsce obok kierowcy. Klnąc po portugalsku, Chris usadowiła się na tylnym siedzeniu.

Took dyrygował: skręć w prawo, jedź prosto, przyśpiesz, żeby wycisnąć maksimum z klimatyzacji, wyłącz klimę, bo przegrzejesz silnik. Kilka razy zjeżdżali z wyboistych dróg na pustynię. Took znał tu każdy zakątek. W odróżnieniu od nich, nie popełniał błędów.

– Co się z nami wczoraj działo? – po raz setny pytała Chris. Wiedziała, że Took czeka na to pytanie. Niby rozmawiał już ze swoim aniołem stróżem, a wciąż zachowywał się jak dzieciak.

– Udar słoneczny – wyjaśnił w końcu. – Nigdy nie oglądaliście filmów o pustyni?

Oczywiście, że oglądali. Ludzie umierający z pragnienia, wlokący się resztkami sił w poszukiwaniu wody.

– Nie czuliśmy pragnienia. Oba bidony były jeszcze pełne.

– Nie o tym mówię – uciął krótko Amerykanin. – Chodzi mi o wasze ubrania.

Ubranie! Arabowie w długich burnusach, ze zwojami materii na głowie. „Że też byliśmy takimi głupcami!". Przecież słyszał o tym nie raz, a poza tym poznał już trzy inne pustynie, gdzie nigdy nie przyszło mu do głowy, żeby rozbierać się do naga. Wczoraj jednak, po nieszczęsnej wyprawie do jeziora, które stale się oddalało... „Jak mogłem wpaść na tak idiotyczny pomysł?".

– Po zdjęciu ubrania woda natychmiast wyparowuje z organizmu. Człowiek nie czuje, że się poci, bo klimat jest wyjątkowo suchy. Po kwadransie następuje całkowite odwodnienie. Nie czuje się pragnienia, tylko człowiek jest lekko zdezorientowany.

– A zmęczenie?

– Zmęczenie to nadciągająca śmierć.

„Nie wiedziałam nawet, że byłam tak blisko śmierci", myślała Chris. Gdyby pewnego dnia chciała w sposób bezbolesny pożegnać się ze światem, wróci tu i wyprawi się nago na pustynię.

– Przy ofiarach pustyni znajduje się zwykle pewien zapas wody. Odwodnienie następuje tak szybko, jak po wypiciu butelki whisky albo po dużej dawce środków uspokajających.

Odtąd, nakazał, muszą regularnie popijać wodę, nawet nie odczuwając pragnienia, bo organizm jej potrzebuje przez cały czas.

– Mieliście szczęście, że zjawił się anioł – zakończył.

Zanim Paulo zdążył powiedzieć, co myśli na temat tego anioła, Took kazał mu zatrzymać się u stóp skały.

– Wysiądźmy tutaj. Resztę drogi pokonamy pieszo.

◎

Wspinali się wąską dróżką, która prowadziła na sam szczyt. W ostatniej chwili Took przypomniał sobie, że zostawił w samochodzie latarkę. Wrócił do auta, wziął latarkę, a potem usiadł na masce samochodu i dłuższą chwilę wpatrywał się w bezmiar pustyni.

„Chris ma rację. Samotność źle działa na człowieka. Ten chłopak zachowuje się bardzo dziwnie", pomyślał Paulo, spoglądając na siedzącego w dole mężczyznę.

Kilka sekund później Took wspinał się już w ich kierunku. Wkrótce do nich dołączył.

Nie śpieszyli się. Droga na szczyt zajęła im około czterdziestu minut. Miejsce porośnięte było skąpą roślinnością. Took polecił im usiąść twarzą na północ. Nie zachowywał się tak ekspansywnie, jak to miał w zwyczaju; był skupiony, trochę nieobecny.

– Przybyliście w poszukiwaniu aniołów – zaczął i usiadł obok nich.

– Ja przyjechałem, żeby zobaczyć anioła – odparł Paulo. – Wiem, że rozmawiałeś ze swoim.

– Zapomnij o moim aniele. Na tej pustyni wielu spotyka swoje anioły, niektórzy z nimi rozmawiają. Zresztą nie tylko tutaj, także w wielkich miastach, na morzu, w górach.

Słychać było nutkę zniecierpliwienia w jego głosie.

– Myśl o swoim aniele stróżu – ciągnął. – Mój anioł jest tu ze mną, widzę go. To jest moje miejsce święte.

Paulo i Chris przypomnieli sobie pierwszą noc na pustyni. Tak jak wtedy, wyobrazili sobie swoje anioły, ich szaty i skrzydła.

– Każdy musi mieć swoje święte miejsce. Ja miałem kilka: w maleńkim mieszkanku, na placu w Los Angeles. A teraz tu jest dla mnie takie miejsce. Taki zakątek uchyla ci bramę do nieba i sprawia, że niebo otwiera się nad tobą.

◎

Rozejrzeli się po świętym miejscu Tooka: skały, twarde kamienne podłoże, uboga pustynna roślinność. Nocami pewnie węże i kojoty.

– Właśnie tutaj zobaczyłem mojego anioła. Równie dobrze mogłem go ujrzeć gdzie indziej, ponieważ jest wszędzie. Jego twarz to oblicze pustyni, gdzie teraz mieszkam, a także oblicze wielkiego miasta, gdzie żyłem przez osiemnaście lat. Udało mi się porozmawiać z moim aniołem, ponieważ wierzę w istnienie aniołów, a swojego bardzo kocham.

Ani Chris, ani Paulo nie ośmielili się zapytać, o czym mówi.

– Każdy z nas jest w stanie nawiązać kontakt z czterema rodzajami bytów zamieszkujących świat niewidzialny – Took był jak w transie. – Są to żywioły, duchy zmarłych, święci i anioły. Żywioły to energia natury: ogień, ziemia, woda i powietrze. Możemy obcować z nimi za pomocą rytuałów. To siła w stanie czystym: trzęsienie ziemi, piorun, wybuch wulkanu. Żebyśmy mogli je pojąć, pojawiają się nam pod postacią gnomów, wróżek czy salamander. Człowiek może wykorzystać moc żywiołów, ale one same niczego nie mogą nas nauczyć.

„Po co nam to opowiada?”, zastanawiał się Paulo. „Czyżby zapomniał, że ja też jestem mistrzem magii?”.

– Duchy zmarłych błąkają się między dwoma światami – wyjaśniał Took dalej. – Pośrednikiem bywa medium, które czasem jest wielkim mistrzem. Jednak wszystkiego, czego mogą nas nauczyć, sami możemy się dowiedzieć na ziemi, bo i oni z niej czerpali swoją mądrość. Lepiej więc zostawić je w spokoju, żeby przygotowywały się do następnego etapu swojej wędrówki. My zaś przyglądamy się otaczającemu nas światu i czerpiemy zeń wiedzę, którą one kiedyś też posiadły.

„Paulo z pewnością wie już to wszystko”, przyszło na myśl Chris. „Took zwraca się do mnie”.

◎

W rzeczy samej Took kierował te słowa do kobiety. Przyszedł tu z jej powodu. Mężczyźnie dwadzieścia lat starszemu i bardziej doświadczonemu, niewiele miał do przekazania. Paulo sam odkryje, jak komunikować się ze swoim aniołem. Był uczniem J., a Took słyszał wiele dobrego na temat tego mistrza! Podczas pierwszego spotkania próbował na różne sposoby wyciągnąć od Brazylijczyka interesujące go informacje, ale ta kobieta wszystko zepsuła. Nie dowiedział się nic o technikach magicznych i rytuałach J.

To pierwsze spotkanie rozczarowało go do głębi. Podejrzewał nawet, że Brazylijczyk posługuje się imieniem J. bez zgody samego mistrza. A może po raz pierwszy J. pomylił się w wyborze ucznia? Jeżeli to prawda, wszyscy adepci Tradycji wkrótce się o tym dowiedzą. Jednak w nocy po pierwszym spotkaniu rozmawiał we śnie ze swoim aniołem stróżem.

Anioł prosił, żeby Took wprowadził kobietę w arkana magii. Miał uczynić tylko pierwszy krok – reszty dopełni jej mąż.

We śnie Took poinformował anioła, że zajął się kobietą: wyjaśnił jej istotę drugiego umysłu i prosił, żeby patrzyła na linię horyzontu. Anioł radził skoncentrować się na mężczyźnie, ale nie zaniedbywać kobiety. Zaraz potem zniknął.

Posłuszny woli anioła, Took wykonywał teraz jego polecenie.

◎

– Zaraz po duchach zmarłych – kontynuował – mamy świętych. To prawdziwi Mistrzowie. Kiedyś żyli wśród nas, teraz przebywają bliżej światła. Żywoty świętych to niewyczerpane źródło mądrości. Zawierają wszystko to, co powinniśmy wiedzieć. Wystarczy ich naśladować.

– W jaki sposób przywołuje się świętych? – zapytała Chris.

– Przez modlitwę – wtrącił Paulo. Nie był zazdrosny, choć niewątpliwie Amerykanin starał się zrobić na Chris wrażenie. „On szanuje Tradycję. Stara się przez moją żonę dotrzeć do mnie. Dlaczego tylko mówi o tak elementarnych sprawach, dlaczego opowiada o tym, co jest dla mnie oczywiste?".

– Wzywamy świętych żarliwą modlitwą – ciągnął Paulo. – A kiedy w końcu stają przy nas, wszystko wokół się zmienia, zdarzają się cuda.

Took wyczuł wrogie nastawienie Brazylijczyka. Postanowił jednak nie wtajemniczać go w to, co zobaczył we śnie. Nie musiał się przed nikim tłumaczyć.

– Na koniec – zabrał głos Took – istnieją anioły.

Być może akurat o tym Brazylijczyk niewiele wiedział, chociaż w innych sprawach orientował się nadzwyczaj dobrze. Took zamilkł. Modlił się w ciszy, wzywał swojego anioła z nadzieją, że natchnie każde jego słowo, że pomoże mu przystępnie wyjaśnić tę trudną kwestię.

– Aniołowie to ucieleśnienie czystej miłości. Nigdy nie spoczywają, stale w ruchu, są poza dobrem i złem. Są miłością, która wszystko pochłania, wszystko burzy, ale i wszystko przebacza. Aniołowie powstali z tej miłości i są jej posłańcami. Posłańcami miłości anioła śmierci, który pewnego dnia zabierze naszą duszę, i posłańcami miłości anioła stróża, który ją przywoła z powrotem do życia. Miłość w ciągłym ruchu.

– Walcząca miłość – podsumowała Chris.

– Miłość i błogi spokój wykluczają się wzajemnie. Kto szuka w miłości spokoju, przegrywa na starcie.

„Co ten szczeniak może wiedzieć o miłości? Żyje samotnie na tym pustkowiu i pewnie nigdy nie był zakochany". A przecież Chris nie pamiętała, aby kiedykolwiek miłość przyniosła jej spokój. Z miłością zawsze nadciągały ból, największa radość i najgłębszy smutek.

– Posiedźmy w ciszy przez kilka chwil – rzekł Took. – Niech nasi aniołowie wsłuchają się w miłość obecną za ścianą naszego milczenia.

Chris wciąż rozmyślała o miłości. Chłopak miał chyba rację. Była jednak gotowa przysiąc, że znał to wszystko jedynie z teorii.

„Dziwne, miłość uspokaja wtedy, kiedy umiera". Jakie inne wydaje się wszystko, czego ostatnio doświadcza, szczególnie to uczucie „wzrastania duszy".

Nigdy nie prosiła Paula, żeby był jej nauczycielem. Wierzyła w Boga i to jej wystarczało. Szanowała poszukiwania męża, ale z jakiegoś powodu trzymała się od nich z daleka. Może żyli zbyt blisko siebie, może znała go za dobrze, wiedziała, że jak każdy mężczyzna ma wiele wad.

O Tooku nie wiedziała nic. Kiedy poprosił, żeby zwróciła uwagę na drugi umysł, albo żeby wpatrywała się w horyzont, po prostu go posłuchała. Kiedy doświadczyła, jak rośnie w niej dusza, odkryła, jakie to było przyjemne. I ile czasu straciła.

– Dlaczego musimy rozmawiać z aniołami? – Chris przerwała ciszę.

– Żeby dzięki nim odkrywać siebie samych i rozwijać się – odparł Took.

Jej pytanie nie zirytowało Tooka. Na jego miejscu Paulo byłby wściekły.

Zmówili Ojcze Nasz i Zdrowaś Mario. A potem Amerykanin zdecydował, że pora wracać.

– Tylko tyle? – Paulo był rozczarowany.

– Przyprowadziłem was tutaj, żeby mój anioł zobaczył, jak spełniam jego życzenie – wyjaśnił Took. – Nie jestem w stanie już cię niczego nauczyć. Jeżeli chcesz wiedzieć więcej, zapytaj Walkirii.

Wracali w kompletnej ciszy, od czasu do czasu przerywanej instrukcjami Tooka, w którą stronę skręcić. Nikt nie wykazywał ochoty do rozmowy: Paulo czuł się oszukany, Chris nie chciała go denerwować swoimi komentarzami i czuła się winna niepowodzenia wyprawy, a Took wiedział, że rozczarowany Brazylijczyk oczekiwał czegoś więcej i nie zechce z nim rozmawiać o J. i technikach mistrza.

– W jednej sprawie nie mogę ci przyznać racji – odezwał się Paulo, kiedy zajechali pod starą przyczepę. – Wczoraj spotkaliśmy na pustyni zwykłego człowieka, to nie był żaden anioł. Zwykły facet w zwykłym pikapie.

Przez moment wyglądało na to, że zaczepka pozostanie bez odpowiedzi. Poziom agresji między dwoma mężczyznami wciąż rósł. Amerykanin szedł już w kierunku swojego domu, kiedy nagle odwrócił się i powiedział:

– Opowiem ci historię usłyszaną od mojego ojca. Mistrz i jego uczeń podróżowali przez pustynię. W drodze mistrz wciąż powtarzał, że należy ufać Bogu, bo On nad wszystkim ma pieczę. Nadchodziła noc, postanowili rozbić obóz. Mistrz zajął się stawianiem namiotu, a uczniowi kazał uwiązać konie. Uczeń trzymając wodze w ręku pomyślał: „Mistrz chce mnie wypróbować. Zapewniał, że Bóg troszczy się o wszystko, a potem nakazał mi uwiązać zwierzęta. Z pewnością chce się przekonać, czy ufam Bogu, czy nie”. Zmówił więc długą modlitwę i zamiast uwiązać konie, powierzył je Bogu w opiekę. Kiedy obudzili się następnego ranka, konie zniknęły. Rozczarowany, oznajmił mistrzowi, że stracił do niego zaufanie. Bo Bóg nie troszczy się o wszystko, gdyż nie zaopiekował się ich końmi. „Mylisz się – odrzekł mistrz. – Bóg chciał zaopiekować się naszymi końmi. Potrzebował tylko twoich rąk, żeby przywiązać je do skały”.

Took zapalił lampę gazową, wiszącą nad wejściem do przyczepy. W jej świetle przybladł nieco blask gwiazd.

– Anioły pojawiają się, kiedy zaczynamy o nich myśleć. Ich obecność staje się coraz bliższa, z każdą chwilą wyraźniejsza. Z tym że początkowo ukazują się nam tak, jak to robiły od zawsze: za pośrednictwem innych ludzi. Twój anioł posłużył się tym człowiekiem. Z pewnością wyciągnął go z domu wcześniej niż zwykle, zmienił jego codzienną rutynę, przygotował wszystko tak, żeby mógł się znaleźć we właściwym momencie w miejscu, gdzie go potrzebowaliście. To był cud.

Paulo słuchał go w milczeniu.

– Kiedy wchodziliśmy na wzgórze, przypomniałem sobie o latarce – ciągnął Took. – Pewnie zauważyłeś, że przez dłuższą chwilę zatrzymałem się przy aucie. Zawsze kiedy po wyjściu z domu przypominam sobie o czymś i wracam, mam uczucie, że dzieje się tak za sprawą mojego anioła stróża. To on opóźnia moje wyjście o kilka sekund. Te kilka chwil znaczy bardzo wiele. Może dzięki nim uniknę wypadku albo spotkam kogoś, na kim mi zależy. Dlatego kiedy już wezmę to, o czym zapomniałem, siadam i spokojnie liczę do dwudziestu. W ten sposób daję mojemu aniołowi czas na działanie. Anioły posługują się różnymi narzędziami.

Took poprosił Paula o kilka chwil cierpliwości. Wszedł do przyczepy, a po chwili wyszedł z mapą w ręku.

– Ostatnio spotkałem Walkirie w tym miejscu – pokazał palcem na mapie. Wzajemna wrogość między mężczyznami zdawała się ustępować.

– Opiekuj się nią. Bardzo dobrze, że z tobą przyjechała.

– Też tak myślę – odrzekł Paulo. – Bardzo ci dziękuję. Za wszystko.

Pożegnali się.

◎

– Co za osioł ze mnie! – wykrzyknął Paulo waląc dłońmi w kierownicę.

– Osioł? Zdawało mi się, że byłeś zazdrosny!

Paulo śmiał się radośnie. Był w doskonałym humorze.

– Cztery procesy! Wymienił tylko trzy! Z aniołami rozmawia się używając czwartego!

Spojrzał na Chris czule. Jego oczy błyszczały szczęściem.

– Czwarty proces to channeling!

Prawie dziesięć dni na pustyni. Zatrzymali się w miejscu, gdzie ziemia się rozwarła ukazując głębokie rany. Jakby płynęły tu kiedyś prehistoryczne rzeki, dziesiątki nurtów, które zostawiły po sobie długie, głębokie pęknięcia rozstępujące się pod wpływem słonecznego żaru.

Nie było śladu życia. Żadnych skorpionów, węży, kojotów, ani nawet obecnych gdzie indziej suchorośli. Pustynia była pełna takich miejsc. Nazywano je *badlands* – ziemie przeklęte.

Zeszli na dno jednej z ogromnych rozpadlin. Jej ściany wznosiły się wysoko nad ich głowami. Pod stopami wiła się tylko wąska dróżka bez początku i bez końca.

Nie byli już dwojgiem nieodpowiedzialnych poszukiwaczy przygód ufnych, że nic złego im się nie może przytrafić. Pustynia dyktowała prawa i zabijała tych, którzy je lekceważyli. Znali już te prawa: rozpoznawali grzechot węża, wiedzieli, kiedy wolno im błądzić po pustyni, umieli zachować środki ostrożności. Zanim się zapuścili w *badlands*, zostawiali w zaparkowanym samochodzie kartkę z wiadomością, dokąd się udawali, nawet na półgodzinny spacer. Mogło się to czasem wydać śmieszne i niepotrzebne, ale w razie nieszczęścia łatwiej byłoby ich odnaleźć. Należało pomagać aniołom stróżom.

Poszukiwali Walkirii. Nie tu, na ziemi przeklętej, gdzie brak żywej duszy. Tutaj się zjawili z powodu Chris, która chciała poćwiczyć.

Ale wiedzieli, że Walkirie są w pobliżu; sporo na to wskazywało. Przenosiły się na pustyni z miejsca na miejsce i wszędzie zostawiały jakieś ślady.

Zdobyli trochę informacji na ich temat. Z początku jeździli od miasteczka do miasteczka i pytali o Walkirie. Nikt jednak nie wiedział, o kogo im dokładnie chodzi. Wskazówka Tooka na nic się nie przydała – prawdopodobnie dawno opuściły okolice, które wskazał na mapie. Pewnego dnia spotkali w barze mężczyznę, który przypomniał sobie, że czytał gdzieś o tych kobietach. Opisał im, jak wyglądały, jak się ubierały i jakie zostawiały po sobie ślady.

Rozpytywali o kobiety ubrane jak one. Ich rozmówcy kiwali głowami z dezaprobatą i opowiadali, że wyjechały przed miesiącem, tydzień temu, przedwczoraj.

Znajdowali się teraz o jeden dzień drogi od miejsca, gdzie się prawdopodobnie zatrzymały.

◎

Słońce chyliło się ku zachodowi. W przeciwnym razie nie zaryzykowaliby wyjścia na pustynię. Wyniosłe, strzeliste ściany rzucały cienie. Miejsce było doskonałe.

Chris miała serdecznie dość tych samych ćwiczeń. Ale nie było wyjścia, póki co rezultaty jej wysiłków były mizerne.

– Usiądź tutaj. Plecami do słońca.

Tak też uczyniła. Wkrótce niemal automatycznie ogarnęła ją fala spokoju. Siedziała po turecku z zamkniętymi oczami. Czuła wokół siebie cały ogrom pustyni. W ciągu tych paru dni jej dusza wciąż rosła, a wraz z nią rósł jej świat. Był dużo potężniejszy niż dwa tygodnie wcześniej.

– Skoncentruj się na drugim umyśle – rzekł.

Zwracał się do niej łagodnym tonem. Nie mógł jej traktować jak innych swoich uczniów. W końcu była jego żoną i dobrze znała jego słabości. Ale dokładał wszelkich starań, żeby postępować jak mistrz i za to go szanowała.

Skoncentrowała się na drugim umyśle. Otworzyła umysł na najróżniejsze myśli, jak zwykle całkiem absurdalne jak na kogoś, kto znajdował się na pustynnej równinie. Od trzech dni, ilekroć zaczynała ćwiczenie, jej drugi umysł zaprzątały te same dylematy: kogo zaprosić na przyjęcie urodzinowe zaplanowane za trzy miesiące.

Paulo prosił, żeby się tym nie przejmowała. Miała pozwolić myślom płynąć w sposób nieskrępowany.

– Zacznijmy od początku – powiedział.

– Wciąż myślę o przyjęciu.

– Nie walcz z myślami, są silniejsze niż ty – powtarzał tysięczny już raz. – Jeżeli chcesz się ich pozbyć, musisz je zaakceptować. Myśl o tym, co ci podpowiada drugi umysł. W końcu się zmęczy i da za wygraną.

Układała w głowie listę gości. Skreślała jednych, dodawała innych. To był pierwszy krok: skupić się na tym, co podpowiada drugi umysł, aż ten się zmęczy.

Tym razem sprawa przyjęcia zeszła na dalszy plan szybciej niż przedtem. Jednak wciąż układała w głowie listę gości. Nie do wiary, jak taka błaha sprawa może całymi dniami zaprzątać umysł, który mógłby się przecież zajmować czymś pożyteczniejszym.

– Myśl o tym aż do znużenia. Kiedy się zmęczysz, otwórz się i przygotuj na przyjęcie przekazu.

Paulo odszedł, usiadł oparty o skałę. „Took to bystry chłopak", pomyślał. Z jednej strony uszanował reguły i nie przekazał tajemnic uczniowi innego mistrza. Z drugiej zaś za pośrednictwem Chris dał mu wystarczająco dużo wskazówek.

Czwartym sposobem komunikowania się ze światem niewidzialnym był channeling.

Ileż razy widział, jak stojący w korkach kierowca rozmawia sam ze sobą, nieświadom, że oto wykonuje jeden z zaawansowanych rytuałów magicznych! Magicznych także w swojej prostocie – bo wystarczy usiąść w ciszy i skoncentrować się na rodzących się w głowie myślach.

Dla wielu channeling jest metodą niewiele wartą, ale nic dalszego od prawdy. Od zarania dziejów człowiek wie, że zanim porozumie się z Bogiem, musi najpierw zrobić dla Niego miejsce we własnej duszy. Musi uwolnić swoją energię i stworzyć pomost pomiędzy widzialnym i niewidzialnym. Jak zbudować taki pomost? Rozmaite szkoły mistyczne podkreślają wagę „nie bycia". Odpręż się, oczyść umysł, zapomnij o wszystkim, a odkryjesz w swej duszy ogromny skarb. To właśnie oznacza słowo „inspiracja": wdychanie, czerpanie z nieznanego dotąd źródła. Channeling nie wymaga utraty świadomości w kontakcie z duchami. Jest naturalnym procesem w obcowaniu z nieznanym. Pozwala na spotkanie z Duchem Świętym, z duszą świata, z oświeconymi mistrzami. Nie wymaga rytuałów, wcielania się. Nie wymaga niczego. Podświadomie każdy człowiek zdaje sobie sprawę z istnienia pomostu do świata niewidzialnego, pomostu, którym bez obaw można się przeprawić na drugą stronę.

Każdy też próbował przejść tym pomostem, często bezwiednie. Każdy, ku swemu własnemu zdziwieniu, wypowiadał myśli, które mu nigdy przedtem nie przyszły do głowy, robił rzeczy, które wydawały się bez sensu.

No i każdego fascynowały cuda natury – burze z piorunami, błyskawice, wschody i zachody słońca – i każdy był chętny do bliskiego obcowania z Mądrością Wszechświata, do zastanowienia się nad sprawami naprawdę istotnymi.

A wtedy pojawia się mur nie do przebycia. Drugi umysł.

Drugi umysł, który broni dostępu, tarasuje wejście: natrętne myśli, błahe sprawy, głupie melodie, problemy finansowe, nieszczęśliwe miłości.

Podniósł się i podszedł do Chris.

– Cierpliwości. Wysłuchaj wszystkiego, co ci mówi drugi umysł. Nie odpowiadaj na pytania. Nie dyskutuj. On pierwszy się zmęczy.

Chris po raz kolejny przejrzała listę gości, tym razem bez większego zainteresowania. Na koniec postawiła kropkę.

Otworzyła oczy.

Znajdowała się na dnie rozpadliny. Czuła wokół parne, nieruchome powietrze.

– Otwórz się. Zacznij mówić.

Mówić!

Odkąd pamięta, bała się mówić. Czuła lęk przed śmiesznością, nie chciała wyjść na głupka. Inni byli zawsze bardziej wygadani, mądrzejsi, znali odpowiedź na każde pytanie. Bała się, co o niej pomyślą inni.

Teraz musiała się zdobyć na odwagę, nawet gdyby jej słowa zabrzmiały absurdalnie, nie miały żadnego sensu. Jak jej wcześniej wyjaśnił Paulo, mówienie jest jedną z form channelingu. Musiała pokonać drugi umysł, a potem pozwolić, by Wszechświat rozporządził nim według swojej woli.

Kiwała głową tylko dlatego, że miała na to ochotę. Potem naszła ją chęć wydania z siebie jakichś nieartykułowanych dźwięków. Nie czuła się śmieszna. Była wolna, może robić to, na co ma ochotę.

Nie miała pojęcia, że wszystko to pochodziło ze środka, z głębi jej duszy. Od czasu do czasu odzywał się drugi umysł, przypominał o troskach i kłopotach, które Chris próbowała jakoś uporządkować. Tak właśnie miało być: bez logiki i bez zahamowań, z radością wojownika, który stawia stopę na nieznanym lądzie. Miała mówić czystym, prosto z serca płynącym językiem.

Paulo słuchał w milczeniu. Chris była świadoma jego obecności. Absolutnie świadoma i wolna. Nie obchodziło jej, co o niej myślał. Chciała mówić i robić to, na co miała ochotę, nucić dziwne melodie. Z pewnością wszystko to miało jakiś sens. Nigdy przedtem nie słyszała tych dźwięków, tych melodii, nie znała tych gestów. To było trudne. Bała się, czy przypadkiem nie udaje, że nawiązała kontakt z niewidzialnym światem. Pokonała jednak wszelkie obawy.

Działo się z nią dziś coś innego. Podobało jej się ćwiczenie. Nie robiła nic z przymusu. Poczuła się pewnie. Uczucie pewności siebie odpływało i powracało falami. Chris wszystkimi siłami próbowała się go uczepić.

Żeby utrzymać tę falę blisko siebie, musiała mówić, nieważne co.

– Widzę ziemię – mówiła powoli, spokojnym głosem, chociaż od czasu do czasu drugi umysł podpowiadał, że w oczach Paula musi wyglądać idiotycznie. – Jesteśmy w bezpiecznym miejscu. Możemy tu zostać na noc, położyć się na ziemi, obserwować gwiazdy i rozmawiać o aniołach. Nie ma tu skorpionów, ani węży, ani kojotów. Nasza planeta zarezerwowała niektóre miejsca wyłącznie dla siebie. Prosi nas teraz, żebyśmy sobie poszli. W takich miejscach jak to, pozbawionych tych milionów form życia, ziemia może pobyć w samotności. Bo ona też potrzebuje samotności, żeby się nad sobą zastanowić.

(„Dlaczego to powiedziałam? Pomyśli, że się popisuję. Jestem w pełni świadoma!")

Paulo rozejrzał się dookoła. Suche koryto rzeczne, z pozoru przyjazne i łagodne, budziło grozę. Całkowita pustka, brak oznak życia przejmowały lękiem samotności.

– Jest taka modlitwa – ciągnęła Chris. Drugi umysł był już tak słaby, że przestała się bać śmieszności.

Nagle ogarnął ją strach. O jaką modlitwę chodzi? Nie miała pojęcia.

Wraz ze strachem drugi umysł zaatakował z całą mocą. Wróciło uczucie wstydu, obawa przed śmiesznością, przed reakcją Paula. Przecież jest czarownikiem, wie dużo więcej niż ona, pewnie myśli, że to wszystko żarty.

Wzięła głęboki oddech. Skoncentrowała się na chwili obecnej, na kawałku jałowej ziemi, na zachodzącym słońcu. Stopniowo powracała pewność siebie. Wyglądało to na cud.

– Jest taka modlitwa – powtórzyła.

Zagrzmi
głośno
na niebie
kiedy nadejdę
robiąc hałas

Zamilkła na chwilę. Czuła, że dała z siebie wszystko i że proces się zakończył.

– Dzisiaj zaszłam daleko – zwróciła się do Paula. – Nigdy przedtem tak nie było.

Pogłaskał ją po głowie, pocałował – nie wiedziała, czy z litości, czy z dumy.

– Chodźmy – powiedział. – Uszanujmy wolę ziemi.

„Mówi tak, żeby mnie zachęcić do dalszych prób", pomyślała. Była jednak pewna, że stało się coś ważnego. Przecież sobie tego nie wymyśliła.

– Znasz tę modlitwę? – zapytała, bojąc się odpowiedzi.

– Znam. To stara indiańska modlitwa plemienia Odżibuejów.

Zawsze imponował jej swoją wiedzą, chociaż jak sam powiadał, na nic mu się ona nie przydaje.

– Jak to możliwe?

Paulo przypomniał sobie tajniki alchemii opisane przez J.: „Obłoki to rzeki, które poznały ocean". Nie miał jednak ochoty niczego wyjaśniać. Był spięty i poirytowany. Nie widział sensu w dalszych wędrówkach po pustyni. Przecież już wiedział, jak rozmawiać z aniołem stróżem.

– Chris, czy widziałaś film *Psychoza*? – zapytał w samochodzie.

Skinęła głową na potwierdzenie.

– Główna bohaterka ginie już w pierwszych minutach filmu. Mnie odkrycie, jak rozmawiać z aniołami, zajęło trzy dni. Wcześniej postanowiłem jednak, że zostanę tu przez czterdzieści dni. Teraz nie mogę zmienić zdania.

– A Walkirie?

– Mogę się bez nich obejść.

(„Boi się, że ich nie odnajdzie", pomyślała.)

– Wiem, jak rozmawiać z aniołami, a to najważniejsze! – rzekł ostrym tonem.

– Zastanawiałam się nad tym. Wiesz już jak, ale nie chcesz spróbować.

„Dokładnie tak", pomyślał Paulo. „To właśnie mój problem. Potrzebuję silnych wrażeń. Nie mogę żyć bez wyzwań".

Spojrzał na Chris. Przeglądała *Jak przeżyć na pustyni*, broszurę kupioną po drodze w jakimś miasteczku.

Jechali przez jedną z tych pustynnych równin, które wydają się nie mieć początku ani końca.

„To nie tylko sprawa duchowych poszukiwań", rozmyślał, od czasu do czasu zerkając na żonę. Kochał tę kobietę, ale miał serdecznie dosyć małżeństwa. Potrzebował silnych emocji: w miłości, w pracy, we wszystkim, co robił. Żył jak najintensywniej, jak gdyby wbrew naturze, która domaga się odpoczynku.

Zdawał sobie sprawę, że taki styl życia niósł ze sobą ryzyko, że nic w jego życiu nie potrwa długo. Zaczynał rozumieć znaczenie słów wypowiedzianych przez J.: *Każdy zabija kiedyś to, co kocha.*

Dwa dni później przyjechali do Gringo Pass, mieściny z jednym motelem, sklepikiem i budynkiem urzędu celnego. Kilkanaście metrów od centrum przebiegała granica z Meksykiem. Zrobili sobie nawzajem zdjęcia, jak stoją w rozkroku jedną nogą w Stanach, jedną w Meksyku.

W sklepie zapytali o Walkirie. Właścicielka widziała je wcześnie rano, ale „te lezby", jak się wyraziła, szybko opuściły miasto.

– Pojechały do Meksyku? – dopytywał się Paulo.

– Nie. W stronę Tucson.

Wrócili do motelu. Rozsiedli się na werandzie. Samochód stał zaparkowany przed wejściem.

– Spójrz tylko na to auto – powiedział po kilku minutach. – Umyję je.

– Właścicielowi motelu się nie spodoba, że marnujesz wodę. Zapomniałeś? Jesteśmy na pustyni.

Nic nie odpowiedział. Podniósł się, wyjął z samochodu rolkę papierowych ręczników i zaczął ścierać kurz.

„Jest zdenerwowany. Nie może usiedzieć na miejscu", myślała Chris, przyglądając się jego zabiegom z werandy.

– Chciałabym z tobą porozmawiać – rzuciła.

– Nie martw się, dobrze się spisałaś – próbował odgadnąć jej myśli, cały czas czyszcząc z kurzu karoserię.

– Właśnie o tym chcę ci opowiedzieć – nie dawała za wygraną. – Nie przyjechałam z tobą, żeby wykonywać zadania. Przyjechałam, bo wydawało mi się, że się od siebie oddalamy.

„Ona też to czuje", pomyślał, ale nie przerywał pracy.

– Zawsze z szacunkiem podchodziłam do twoich duchowych poszukiwań – ciągnęła. – Ja też mam własną duchowość, chcę, żeby to było jasne. Chodzę do kościoła i nie mam zamiaru z tego rezygnować.

– Ja też chodzę do kościoła.

– To co innego, i dobrze o tym wiesz. Wybrałeś jeden sposób obcowania z Bogiem, a ja wybrałam inny.

– Wiem o tym. Nie chcę cię zmieniać.

– Jednak – wzięła głęboki oddech, bo bała się jego reakcji – ostatnio dzieje się ze mną coś dziwnego. Też zapragnęłam rozmowy ze swoim aniołem.

Wstała z fotela i podeszła do samochodu. Schyliła się, żeby pozbierać rozrzucone na ziemi kawałki papieru.

– Zrób coś dla mnie – wyszeptała zaglądając mężowi głęboko w oczy. – Nie zostawiaj mnie w połowie drogi.

Przy stacji benzynowej działał mały bar.

Usiedli blisko okna. Świat wokół nich nie zdążył się jeszcze na dobre rozbudzić. Na zewnątrz rozpościerała się ogromna równina, bezmiar ciszy.

Chris tęskniła do Borrego Springs, do Gringo Pass i do Indio. Tam pustynia miała jakieś oblicze: góry, doliny, historie pionierów i zdobywców.

Tu, gdzie się zatrzymali, była jedna ogromna pustka, palące słońce. Za chwilę rozżarzona kula ubierze pustynię we wszystkie odcienie żółci, rozpali powietrze do temperatury 55 stopni w cieniu (którego nigdzie nie ma) i uczyni ten skrawek ziemi niemożliwym do życia dla ludzi i zwierząt.

Mężczyzna za kontuarem przyjął zamówienie. Wyglądał na Chińczyka, mówił z silnym akcentem – na pewno od niedawna mieszkał w Stanach. Zastanawiała się, jaki szmat świata musiał przebyć, zanim wylądował w tym barze w środku pustyni.

Zamówili kawę, jajka na bekonie i grzanki. Siedzieli w milczeniu.

Chris przyglądała się Chińczykowi – wydawał się patrzeć w linię horyzontu. Sądząc po oczach, jego dusza urosła.

Jednak nie. Chińczyk nie pracował nad rozwojem duchowym, ani nie oddawał się świętym ćwiczeniom. Z jego spojrzenia zionęła nuda. Nie dostrzegał niczego wokół: ani pustyni, ani autostrady, ani dwojga turystów, którzy zjawili się w barze o tak wczesnej porze. Powtarzał tylko mechaniczne gesty: sypał kawę do ekspresu, smażył jajka, pytał „czym mogę służyć", dziękował. Jak wytresowane zwierzę bez uczuć i bez refleksji. Jakby cały sens życia pozostawił w Chinach, albo jakby rozpłynął się i zniknął na bezkresnej równinie.

Dostali śniadanie. Jedli powoli, bo nie mieli się dokąd śpieszyć.

Paulo spoglądał na samochód zaparkowany na zewnątrz. Śladu nie pozostało po jego zabiegach sprzed dwóch dni. Karoserię znów pokrywała gruba warstwa kurzu.

Z oddali dobiegł ich jakiś dźwięk. Za chwilę przejedzie tędy pierwsza tego poranka ciężarówka. Chińczyk oderwie się od baru, zostawi jajka i boczek i wyjdzie na zewnątrz, żeby przyjrzeć się przejeżdżającemu pojazdowi. Przez moment poczuje się częścią tamtego świata w ruchu, który biegnie obok jego baru. To wszystko, co może zrobić: oglądać oddalający się świat. Pewnie już zrezygnował z marzenia, żeby zamknąć bar, zatrzymać przejeżdżającą ciężarówkę i wyjechać gdzieś przed siebie, gdzie go oczy poniosą. Uzależnił się od Ciszy i Pustki.

Hałas się nasilał. Nie przypominał odgłosu silnika ciężarówki. Przez moment serce Paula ogarnęła fala nadziei. Tylko nadziei i nic więcej. Starał się o tym nie myśleć.

Hałas wzmagał się. Chris odwróciła głowę, żeby zobaczyć, co się dzieje.

Paulo wlepił wzrok w filiżankę kawy. Bał się, że żona zauważy jego zdenerwowanie.

Szyby okien zadrżały. Barman stał nieporuszony. Znał ten warkot i szczerze go nienawidził.

Chris patrzyła zafascynowana. Za oknem zamigotały metaliczne rozbłyski. Ryk silników wprawiał w drżenie rośliny, asfalt, sufit nad głową, szyby w oknach.

Z hukiem Walkirie podjechały na stację benzynową. Wszystko wokół, linia autostrady, płaski bezmiar pustyni, niskopienna roślinność, Chińczyk i dwoje Brazylijczyków w poszukiwaniu anioła, wszystko odczuło ich obecność.

Przy stacji benzynowej stalowe rumaki wykonały kilka ewolucji niebezpiecznie blisko siebie. Biły od nich siła i piękno. Wprawne dłonie w rękawicach ściągały wodze, igrając z niebezpieczeństwem. Amazonki pokrzykiwały jak kowboje goniący stado, jakby pragnęły obudzić pustynię, wykrzyczeć swoją radość z powodu pięknego poranka. Paulo podniósł oczy i zafascynowany wpatrywał się w ten obraz. Strach jednak nie ustępował – może tu się nie zatrzymają? Może chcą tylko potrząsnąć tym chińskim chłopakiem, pokazać mu, że jeszcze istnieją życie, radość i szaleństwo?

Nagle umilkł warkot silników.

Walkirie zsiadły ze stalowych rumaków. Strzepały ze swych czarnych skór kurz, zdjęły kolorowe chusty, którymi zasłaniały usta i nosy przed wszechobecnym pustynnym pyłem.

Jedna po drugiej wchodziły do baru.

Osiem kobiet.

Niczego nie musiały zamawiać. Chińczyk dobrze znał ich upodobania. Układał na rozgrzanej płycie kuchennej porcje bekonu i chleba, rozbijał jajka. W wypełnionym po brzegi barze zachowywał się jak posłuszny automat.

– Dlaczego radio jest wyłączone? – zapytała jedna z kobiet.

Chińczyk włączył radio.

– Głośniej! – padł rozkaz.

Chiński robot nastawił radio na cały regulator. W jednej chwili zapuszczona stacja benzynowa na końcu świata zamieniła się w modną dyskoteką na Manhattanie. Niektóre z kobiet klaskały w rytm muzyki, inne próbowały rozmawiać, przekrzykując panujący harmider.

Tylko jedna siedziała nieruchomo. Nie uczestniczyła w rozmowie, nie klaskała, nie zdradzała zainteresowania przygotowaniami do śniadania.

Za to z uporem wpatrywała się w Paula, a on, z brodą opartą na lewej dłoni, patrzył jej prosto w oczy.

Z wyglądu była najstarsza. Miała długie, rude, kręcone włosy.

Chris poczuła ukłucie w sercu. Działo się z nią coś niezwykłego, czego nie potrafiła sobie wyjaśnić. Być może systematyczne ćwiczenia, regularne wpatrywanie się w horyzont i codzienny channeling sprawiły, że zmienił się jej sposób postrzegania świata. Od jakiegoś czasu dręczyły ją dziwne przeczucia, jak się teraz okazywało – uzasadnione.

Udawała, że nie zauważa, jak tych dwoje się sobie przypatruje. Serce wysyłało jej sygnały – tylko nie umiała odczytać, czy były one dobre, czy złe.

„Took znowu miał rację”, pomyślał Paulo. „Łatwo nawiązać z nimi kontakt”.

Po chwili pozostałe Walkirie zauważyły, co się dzieje. Najpierw przyglądały się rudowłosej, potem, podążając za jej wzrokiem, przeniosły spojrzenia na Paula i Chris. Umilkły, nie kołysały się już w rytm muzyki.

– Wyłącz to! – powiedziała rudowłosa do Chińczyka głosem nieznoszącym sprzeciwu.

Posłusznie wyłączył radio. Jedynym dźwiękiem w barze było skwierczenie smażących się jaj i bekonu.

◎

Rudowłosa podniosła się i nie odrywając od Paula wzroku podeszła do ich stolika. Reszta przyglądała się tej scenie w milczeniu.

– Skąd masz ten pierścień? – zapytała bez żadnych wstępów.

– Z tego samego sklepu, gdzie kupiłaś swoją broszkę – odpowiedział bez wahania.

Dopiero teraz Chris zauważyła srebrną broszkę przypiętą do jej skórzanej kurtki. Widniał na niej taki sam motyw jak na pierścieniu, który Paulo nosił na serdecznym palcu lewej dłoni. „To dlatego podpierał brodę lewą ręką".

Widziała wiele pierścieni Tradycji Księżyca. W różnych kolorach i kształtach, wykonane z różnych metali, zawsze przedstawiały węża, symbol mądrości. Nigdy jednak nie widziała pierścienia podobnego do tego, który nosił jej mąż. Pierścień ten otrzymał Paulo od J. w Norwegii, w 1982 roku, jako dopełnienie „Tradycji Księżyca, cyklu przerwanego przez strach".

– Czego tu chcesz? – spytała ruda.

Paulo podniósł się z krzesła. Wpatrywali się w siebie stojąc twarzą w twarz. Serce Chris ścisnęło się jeszcze bardziej, ale była pewna, że to nie przez zazdrość.

– Czego chcesz? – powtórzyła rudowłosa.

– Chcę rozmawiać z moim aniołem i potrzebuję czegoś jeszcze.

Ujęła dłoń Paula. Przesunęła palcem po jego pierścieniu. Po raz pierwszy w jej zachowaniu dało się zauważyć jakiś przejaw kobiecości.

– Jeżeli kupiłeś ten pierścień w tym samym sklepie co ja, powinieneś wiedzieć jak to zrobić – powiedziała, wpatrując się uparcie w pierścień na jego palcu. – Jeżeli nie, to mi go sprzedaj. To piękny klejnot.

To nie był żaden klejnot. Zwykły pierścień ze srebra z wizerunkiem dwóch splecionych węży. Każdy miał dwie głowy.

Paulo milczał.

– Nie potrafisz rozmawiać z aniołami, a pierścień nie należy do ciebie – orzekła Walkiria.

– Potrafię. Channeling.

– Dokładnie – powiedziała kobieta. – Nic innego.

– Mówiłem, że potrzebuję jeszcze czegoś.

– Czego?

– Took widział swojego anioła. Chcę zobaczyć mojego. Stanąć z nim twarzą w twarz.

– Took?

Rudowłosa najwyraźniej szukała w pamięci, kim był Took i gdzie się spotkali.

– Przypominam sobie – oznajmiła. – Mieszka na pustyni i tam spotkał swojego anioła.

– Nie do końca. Mieszka na pustyni, bo chce zostać Mistrzem.

– Cała ta historia z widzeniem aniołów to czysta bzdura. Wystarczy, że z nimi rozmawia.

Paulo zrobił krok w kierunku Walkirii.

Chris domyśliła się, do jakiej sztuczki ucieka się jej mąż. Nazywał to „destabilizowaniem". Zazwyczaj dwie osoby rozmawiają ze sobą stojąc w odległości na wyciągnięcie ramienia. Kiedy jedna z nich przekracza tę granicę, druga wpada w popłoch, traci zdolność logicznego myślenia.

– Chcę zobaczyć mojego anioła.

Paulo stał już bardzo blisko kobiety i wpatrywał się w nią badawczym wzrokiem.

– Na co ci to potrzebne? – Walkiria traciła pewność siebie. Sztuczka Paula działała.

– Ponieważ potrzebuję pilnie pomocy. Wiele w życiu osiągnąłem, ale przyjdzie mi wszystko zniszczyć, bo straciło dla mnie sens. Kiedy się nad tym zastanawiam, wiem, że wciąż ma to sens i jest dla mnie bardzo ważne, a niszcząc, unicestwię samego siebie.

Mówił beznamiętnym głosem, nie zdradzając żadnych emocji.

– Kiedy odkryłem, że do rozmowy z aniołami wystarczy prosta technika channelingu, straciłem całe zainteresowanie sprawą. Skoro już wiedziałem, co trzeba, taka rozmowa przestała być dla mnie wyzwaniem. Przeraziła mnie myśl, że moja droga do magii dobiega końca. Nieznane stało się znane.

Chris była oburzona: takich wyznań nie robi się w miejscu publicznym, wobec całkiem obcych osób.

– Potrzebuję czegoś więcej, żeby kontynuować tę drogę – podsumował. – Potrzebuję coraz wyższych szczytów.

Walkiria stała w milczeniu. Też zdziwiło ją wyznanie nieznajomego.

– Jeżeli pokażę ci, jak zobaczyć anioła, twoja potrzeba wspinania się coraz wyżej może zniknąć – odezwała się w końcu. – A to nie zawsze dobre.

– Nie zniknie nigdy. Zniknie jedynie poczucie, że szczyty już zdobyte były zbyt niskie. Będę podsycał w sobie żar miłości do tego, co już zdobyłem. Mój mistrz mówił mi właśnie o tym.

„Czyżby mówił też o małżeństwie?", niepokoiła się Chris.

Walkiria wyciągnęła rękę do Paula.

– Mam na imię M. – powiedziała.

– Mam na imię S. – odpowiedział Paulo.

Chris nie posiadała się ze zdumienia. Paulo przedstawił się swoim magicznym imieniem! Znał je tylko wąski krąg wtajemniczonych. Jak wiadomo, posłużenie się magicznym imieniem czarownika może mu zaszkodzić. Dlatego znały je jedynie osoby najbardziej zaufane.

A Paulo poznał tę kobietę dopiero przed chwilą. Nie powinien jej od razu tak bezgranicznie ufać.

– Możesz do mnie mówić Walhalla – powiedziała ruda.

„Przypomina nazwę raju wikingów”, pomyślał Paulo i przedstawił się swoim zwykłym imieniem.

Wydawało się, że rudowłosa jest już spokojna. Po raz pierwszy spojrzała na siedzącą przy stoliku Chris.

– Trzy rzeczy są niezbędne, żeby zobaczyć anioła – zwróciła się do Paula, jak gdyby Chris tam nie było. – Poza tym trzeba bardzo dużo odwagi. Nie odwagi mężczyzny. Prawdziwej kobiecej odwagi.

Paulo jakby nie słyszał jej słów.

– Jutro będziemy w pobliżu Tucson – oznajmiła Walhalla. – Spotkasz się z nami w południe, o ile ten pierścień rzeczywiście należy do ciebie.

Paulo poszedł do samochodu po mapę. Walhalla zaznaczyła na niej miejsce spotkania. Chińczyk podał jajecznicę i bekon. Jedna z kobiet podeszła i powiedziała rudej, że śniadanie stygnie. Walhalla wróciła na swoje miejsce przy kontuarze i kazała kelnerowi włączyć radio.

– Jakich trzech rzeczy potrzebuję, żeby rozmawiać z aniołem? – zapytał, kiedy odchodziła.

– Musisz zerwać pakt, przyjąć przebaczenie i zrobić zakład – odpowiedziała Walhalla.

Stała w otwartym oknie i patrzyła w dół na miasto. Po raz pierwszy od trzech tygodni znaleźli się w prawdziwym hotelu, z obsługą, barem i śniadaniem podawanym do łóżka.

Zbliżała się osiemnasta. O tej porze zwykle ćwiczyli channeling. Tym razem jednak Paulo spał głębokim snem.

Chris wiedziała, że poranne spotkanie na stacji benzynowej wszystko odmieniło. Jeżeli chce rozmawiać ze swoim aniołem, musi zrobić to bez niczyjej pomocy.

W drodze do Tucson prawie nie rozmawiali. Zapytała tylko, dlaczego wyjawił swoje magiczne imię. Wyjaśnił, że Walhalla okazała wiele odwagi podając mu swoje imię, wobec czego nie mógł postąpić inaczej.

Być może to była prawda. Chris jednak miała wątpliwości. Podejrzewała, że jeszcze tego wieczoru Paulo poprosi ją o poważną rozmowę. Kobieta po prostu widzi rzeczy, których mężczyźni nie są w stanie zauważyć.

Zadzwoniła do recepcji, żeby zapytać o księgarnię. W pobliżu nie było żadnej, najbliższa znajdowała się w odległym centrum handlowym.

Zastanowiła się przez chwilę, potem wzięła kluczyki. Byli w wielkim mieście. Jeśli Paulo się obudzi, pomyśli, że wyszła pochodzić po sklepach.

◎

Kilka razy pomyliła drogę, zanim dotarła do gigantycznego centrum handlowego. Znalazła ślusarza, któremu zleciła dorobienie kluczyków do samochodu. Na wszelki wypadek chciała mieć własny komplet.

I znalazła księgarnię. Odszukała książkę, na której jej zależało.

Walkirie: córki Odyna usługujące w jego pałacu.

Nie miała pojęcia, kim był Odyn. To jednak nie miało większego znaczenia.

Posłanki bogów, prowadziły wojowników na śmierć, a następnie do raju.

Posłanki. Tak samo jak anioły. Śmierć i Raj. Znowu anioły.

Ich urok budzi miłość w sercach wojowników, skłaniając ich do poświęceń. Dają przykład odwagi, walcząc na pierwszej linii na rumakach szybkich jak obłoki, nieokiełznanych jak burza z piorunami.

Nie mogły wybrać dla siebie lepszej nazwy, przyznała w myślach.

Symbolizują nieustraszoną odwagę i odpoczynek wojownika, miłosną przygodę w boju, spotkanie i stratę.

Miała już pewność, że Paulo będzie chciał z nią odbyć trudną rozmowę.

Kolację zjedli w hotelowej restauracji wbrew Paulowi, który nalegał na spacer po wielkim mieście w sercu pustyni. Chris wymówiła się zmęczeniem – chciała się wcześniej położyć, po raz pierwszy od tygodni w wygodnym łóżku.

Podczas kolacji rozmawiali o mało istotnych sprawach. Paulo był uprzejmy aż do przesady. Znała męża, wiedziała, że czekał na właściwy moment. Udawała, że słucha go z zaciekawieniem. Okazała zainteresowanie jego opowieścią o miejscowym muzeum pustyni, jednym z najlepszych w świecie. Można w nim było obejrzeć kojoty, węże, skorpiony i wiele się o nich dowiedzieć.

Powiedziała, że bardzo chętnie je odwiedzi.

– Pójdź tam jutro rano – zasugerował.

– Ale przecież Walhalla umówiła się z nami w południe.

– Nie musisz iść.

– Co za dziwaczna pora – odpowiedziała. – Któż włóczy się po pustyni w samo południe? Dostaliśmy już nauczkę.

Paulo także uważał południe za nieodpowiednią porę. Nie chciał jednak stracić tej jedynej okazji. Zresztą Walhalla mogła się jeszcze rozmyślić.

Szybko zmienił temat. Chris czuła zdenerwowanie męża. Jeszcze przez dłuższy czas rozmawiali o błahostkach. Wypili butelkę wina. Morzył ją sen. Paulo zaproponował, żeby poszli już spać.

– Nie jestem przekonany, czy twoja obecność na jutrzejszym spotkaniu to dobry pomysł – rzucił.

Było tak miło: dobra kolacja, elegancki hotel. Tylko to rozdrażnienie Paula. Kolejny dowód, że doskonale zna mężczyznę u swego boku. Było już późno. Czas, żeby jasno postawić sprawę.

– Jutro jadę z tobą. Jadę i już.

Zirytował się jeszcze bardziej. Wymawiał jej, że z powodu głupiej zazdrości utrudnia mu zadanie.

– Jaka zazdrość? O kogo?

– O Walkirie. O Walhallę.

– Głupoty gadasz.

– To część moich osobistych poszukiwań. Zabrałem cię ze sobą, bo chciałem byś była przy mnie. Są jednak sprawy, które sam muszę załatwić.

– Jutro chcę tam iść z tobą. Czy tego chcesz czy nie! – oznajmiła kategorycznie.

– Nigdy nie interesowała cię magia. Dlaczego akurat teraz?

– Dlatego, że zaczęłam. Prosiłam przecież, żebyś nie opuszczał mnie w połowie drogi – przypomniała, zamykając temat.

Panowała absolutna cisza.

Wszyscy, poza Walhallą, chronili oczy za ciemnymi szkłami.

Chris zdjęła okulary, żeby patrzeć Walkirii prosto w oczy. Od dłuższego czasu Walhalla nie odrywała od niej wzroku.

Minuty biegły. Nikt się nie odzywał. Jedynym wypowiedzianym dotąd słowem było „cześć!" rzucone przez Paula na powitanie. Jego pozdrowienie pozostało bez odpowiedzi. Walhalla podeszła do nich, stanęła naprzeciw Chris.

Od tamtego czasu nic się nie działo.

„Dwadzieścia minut", przemknęło jej przez myśl, ale dokładnie jak długo to trwało, nie wiedziała. Oślepiający blask słońca, żar lejący się z nieba i martwa cisza wprowadzały zamęt w jej głowie.

Rozejrzała się. Stali u podnóża jakiejś skały – góry, wreszcie jakieś urozmaicenie po monotonii płaskiej pustyni. Za plecami Walhalli widziała wykute w skale wejście. Próbowała sobie wyobrazić, dokąd prowadzi, ale nie potrafiła jasno myśleć. Czuła się tak samo, jak w pamiętnym dniu, kiedy wracali znad słonego jeziora.

Pozostałe Walkirie stały w półkolu. Na głowach miały zawiązane kolorowe chustki, jak Cyganki albo piraci. Tylko Walhalla stała z odsłoniętą głową. Chustkę przewiązała na szyi, nie bacząc na palące słońce.

Twarzy nie pokrywał im pot. Powietrze było tak suche, że cała wilgoć – jak wyjaśnił im Took – natychmiast wyparowywała. Chris wiedziała, że odwadniają się w zastraszającym tempie. Przed wyjazdem wypiła mnóstwo wody, nie była naga jak poprzednim razem – ubrała się stosownie, żeby stawić czoło południowej pustynnej spiekocie.

„Ona chce się mnie pozbyć", pomyślała.

Wiedziała, że długo tego nie wytrzyma. Są jakieś granice. Nie miała pojęcia, jak daleko sięgają, ile czasu im jeszcze zostało, ale za chwilę słońce spowoduje wyczerpanie organizmu. Tymczasem nikt się nie poruszył, a wszystko to z powodu jej obecności. Wszystko dlatego, że uparła się towarzyszyć mężowi. *Posłanki bogów prowadzą wojowników na śmierć, a następnie do raju.*

Popełniła błąd, ale było już za późno, żeby się wycofać. Stawiła się tu, bo taka była wola jej anioła. Paulo będzie jej potrzebować tego popołudnia.

„To nie był błąd. Przecież anioł tak mi nakazał", przypominała sobie.

Jej anioł. Rozmawiała z nim! Nikt, nawet Paulo, o tym nie wiedział.

Zaczęło się jej kręcić w głowie. Czuła, że zaraz zemdleje. Wytrzyma jednak do samego końca. Nie chodzi już o męża, ani o zazdrość, ani o wypełnienie woli anioła. Chodzi o kobiecą dumę!

◎

– Włóż okulary – powiedziała Walhalla. – Ostre światło może oślepić.

– Ty jesteś bez okularów – odpowiedziała – i nie boisz się oślepnąć.

Na znak Walhalli słońce jakby rozjarzyło się jeszcze bardziej. Zobaczyła dziesiątki, setki wirujących ognistych kul.

To Walkirie ustawiły lusterka motocykli tak, że odbicie promieni słonecznych skierowane było na Chris. Widziała błyszczący półokrąg, przymrużyła powieki, ale nie odrywała wzroku od oczu Walhalli.

Wszystko przed oczami było zamazane. Obraz zacierał się coraz bardziej. Postać Walhalli rozrosła się do absurdalnych rozmiarów. Poczuła, że zaraz upadnie. W ostatniej chwili podtrzymały ją mocne ramiona odziane w czarną skórę.

◎

Paulo widział, jak Walhalla łapie jego żonę w ramiona. Można było tego wszystkiego uniknąć. Mógł przecież kazać jej zostać w hotelu, nie bacząc na jej protesty. Od chwili, kiedy zobaczył broszkę po raz pierwszy, wiedział, do jakiej Tradycji należały Walkirie.

One także widziały jego pierścień. Wiedziały, że przebył wiele prób i nie da się łatwo zniechęcić. Zrobią jednak wszystko, żeby sprawdzić determinację każdego obcego, który się do nich zbliży. Tak właśnie postąpiły z jego żoną.

Nie mogły jednak przeszkodzić Chris – ani nikomu innemu – w poznaniu tego, co chciała poznać. Złożyły przysięgę, że wszystko, co ukryte, musi zostać odsłonięte. Chris przeszła właśnie próbę najważniejszej z cnót, jakie winny cechować człowieka wchodzącego na ścieżkę duchowych poszukiwań: cnoty odwagi.

◎

– Pomóż mi – zwróciła się Walkiria do Paula.

Razem odprowadzili omdlałą Chris do samochodu i ułożyli ją na tylnym siedzeniu.

– Nie martw się, zaraz dojdzie do siebie. Będzie ją tylko trochę bolała głowa.

Nie martwił się. Był dumny.

Walhalla odeszła do swojego motoru i po chwili wróciła z bidonem wody. Przy okazji założyła okulary słoneczne, bo najwyraźniej ona też poczuła zmęczenie.

Obmyła czoło Chris, nadgarstki i miejsca za uszami. Chris otworzyła oczy, zamrugała powiekami i usiadła.

– Zerwać pakt – wyszeptała, patrząc na Walkirię.

– Jesteś bardzo interesującą kobietą – powiedziała Walhalla głaszcząc ją po policzku. – Włóż okulary.

Walhalla głaskała ją po głowie. Obie miały teraz ciemne szkła, ale Paulo wiedział, że ciągle patrzą sobie w oczy.

◎

Podeszli do dziwnej bramy w skale. Walhalla zwróciła się do Walkirii tymi słowami:

– W imię miłości. W imię zwycięstwa. W imię Chwały Bożej.

Słowami tych, co poznali anioły. Tymi samymi, jakich użył J.

Rozległ się ryk silników, wzbiły się w górę tumany kurzu i Walkirie wykonały ten sam manewr, co przy stacji benzynowej, a po kilku minutach zniknęły za skałą.

– Wejdźmy do środka – rzekła Walhalla.

To nie były właściwie drzwi, ale krata, na której wisiała tabliczka:

UWAGA! TEREN RZĄDU FEDERALNEGO.

WSTĘP SUROWO WZBRONIONY

– Nie wierzcie w te bzdury – uspokoiła ich Walkiria. – Nikt tego nie pilnuje.

Znajdowali się w opuszczonej kopalni złota. Walhalla niosła zapaloną lampę. Szli ostrożnie, uważając, żeby nie uderzyć głową w belki stropowe. Miejscami ziemia się obsuwała. Mogło być niebezpiecznie, ale nie czas się było tym przejmować.

Im głębiej się zapuszczali, tym temperatura była niższa. Otaczał ich przyjemny chłód. Paulo obawiał się, że zabraknie im tlenu, ale Walhalla szła odważnie – najwyraźniej nie po raz pierwszy tu była i znała dobrze drogę. Przecież nic jej się dotąd nie stało. Nie czas się tym było przejmować.

Po dziesięciu minutach Walkiria się zatrzymała. Usiedli na ziemi, Walhalla postawiła lampę w środku kręgu.

– Anioły – rzekła – zobaczyć może tylko ten, kto wpuścił do swego życia światło i zerwał pakt z ciemnością.

– Nie obowiązuje mnie pakt z ciemnością – zaprotestował Paulo. – Kiedyś, dawno temu, tak było, ale teraz to już przeszłość.

– Nie chodzi mi o pakt z Lucyferem, Szatanem, czy... – tu zaczęła wymieniać imiona demonów, a twarz jej zmieniła się nie do poznania.

– Nie wymawiaj tych imion – przerwał jej Paulo. – Podobnie jak Bóg, także demony istnieją w słowach.

– Wygląda na to, że sporo wiesz – roześmiała się Walhalla. – Teraz zerwij pakt.

– Nie mam żadnego paktu ze złem.

– Mówię o przymierzu z przegraną.

Paulo przypomniał sobie, co mu powiedział J.: każdy zabija kiedyś to, co kocha, ale mistrz nie wspominał o zrywaniu paktów. Znał Paula dobrze i wiedział, że ten dawno zerwał pakt ze złem. Cisza starej kopalni była bardziej przeraźliwa niż cisza pustyni. Żadnych dźwięków oprócz głosu Walhalli, który z minuty na minutę brzmiał coraz dziwniej.

– Ciebie i mnie obowiązuje umowa, która mówi: zrezygnuj ze zwycięstwa, kiedy masz je w zasięgu ręki – upierała się Walkiria.

– Nigdy nie zawierałem takiej umowy – powtórzył Paulo po raz trzeci.

– W różnych momentach życia każdy z nas zawiera taką umowę. Właśnie dlatego u bram Raju stoi anioł z ognistym mieczem. Wpuszcza tylko tych, którzy zerwali ten pakt.

„Oczywiście, ona ma rację”, myślała Chris. „Wszyscy zawarliśmy taki pakt”.

– Podobam ci się? – zapytała Walhalla zmienionym głosem.

– Jesteś piękną kobietą – odrzekł Paulo.

– Kiedy byłam bardzo młoda, zobaczyłam, jak moja najlepsza przyjaciółka płacze. Zawsze wszystko robiłyśmy razem, byłyśmy ze sobą bardzo blisko. Zapytałam ją, co się stało. Nie chciała mi powiedzieć. Nalegałam, aż mi wyznała, że jej chłopak zakochał się we mnie. Nie zdawałam sobie z tego sprawy, ale właśnie tego dnia zawarłam pakt. Zaczęłam tyć, zaniedbałam się, stawałam się coraz brzydsza. Nie wiedziałam, dlaczego. Dzisiaj wiem. Podświadomie uznałam własną urodę za przekleństwo, z powodu którego cierpiała moja najlepsza przyjaciółka. Z czasem życie straciło dla mnie sens. Przestałam lubić samą siebie. Wszystko dookoła stało się nie do zniesienia. Chciałam umrzeć.

Walhalla znowu się roześmiała.

– Jak widzisz, zerwałam pakt.

– Rzeczywiście – potwierdził Paulo.

– To prawda – dodała Chris. –Jesteś piękna.

– Znajdujemy się we wnętrzu góry – ciągnęła Walkiria. – Na zewnątrz świeci słońce, tu wszystko jest ciemnością. Ale temperatura jest w sam raz. Nie ma powodu do niepokoju, możemy tu spędzić noc. Tu panują ciemności paktu.

Uniosła rękę do suwaka skórzanej kurtki.

– Zerwij pakt – powiedziała stanowczo. – W imię Chwały Bożej. W imię miłości. W imię zwycięstwa.

Powoli opuszczała suwak zamka. Pod kurtką była naga. W rozchylonym dekolcie w świetle lampy zabłyszczał między piersiami złoty medalion.

– Weź go – rozkazała.

Paulo zdjął jej z szyi medalion z wizerunkiem archanioła Michała. Ściskał go mocno w zamkniętych dłoniach.

– Trzymajcie medalion razem.

– Nie muszę widzieć swojego anioła! – w ciemnościach rozległ się głos Chris. – Nie muszę go widzieć. Wystarczy, że mogę z nim rozmawiać. Już z nim rozmawiałam i wiem, że to wystarczy.

Paulo nie uwierzył, ale Walhalla nie miała co do tego żadnych wątpliwości. Wyczytała to w oczach Chris, zanim jeszcze weszli do kopalni. Wiedziała też, że to anioł nakazał Chris towarzyszyć dziś mężowi.

Musiała najpierw wypróbować jej odwagę. Tak nakazywała Tradycja.

– W porządku – powiedziała Walkiria i szybkim gestem zgasiła lampę. Zapanowała kompletna ciemność.

– Włóż medalion na szyję – poleciła Paulowi. – Trzymaj go między dłońmi złożonymi jak do modlitwy.

Paulo zrobił, jak kazała. Bał się ciemności. Przypominały mu się wydarzenia, o których wolałby zapomnieć.

Poczuł, że Walhalla zbliża się od tyłu. Jej dłonie dotknęły jego głowy.

Wokół panowała gęsta ciemność. Ani jeden promyk światła nie przedostawał się do wnętrza.

Walhalla zaczęła się modlić w jakimś dziwnym języku. Początkowo próbował zrozumieć jej słowa. Później, kiedy przesunęła palcami po jego głowie, poczuł, jak medalion rozgrzewa się w jego dłoniach. Skoncentrował się na tym cieple.

Przed jego oczami zaczęły się przesuwać sceny z przeszłości. Światło i cień, światło i cień. I znów nieprzeniknione ciemności.

– Nie chcę tego pamiętać! – błagał Walkirię.

– Przypomnij sobie. Cokolwiek to było, musisz przypomnieć sobie każdą chwilę.

Ciemności budziły grozę, taką samą jak czternaście lat wcześniej.

Na stole między resztkami śniadania znalazł bilecik. „Kocham cię. Zaraz wracam". U dołu widniała data: „25 maja 1974 roku".

Śmieszne. Umieścić datę na miłosnym liściku.

Po przebudzeniu czuł lekki zawrót głowy. Śniły mu się dziwne rzeczy. We śnie szef wydawnictwa fonograficznego proponował mu pracę. Nie potrzebował zatrudnienia. To on i jego przyjaciel dawali pracę dyrektorowi firmy. Ich płyty biły rekordy popularności, rozchodziły się w tysiącach egzemplarzy, zajmowały pierwsze miejsca na listach przebojów, a z całej Brazylii przychodziły listy z prośbą o wyjaśnienie, czym jest Społeczeństwo Alternatywne.

„Wystarczy posłuchać tekstu piosenki", pomyślał. To nawet nie była piosenka, a raczej mantra, w której słowa Apokaliptycznej Bestii pobrzmiewały cicho w tle. Ktokolwiek śpiewał tę piosenkę, wzywał siły Ciemności. I wszyscy ją śpiewali.

Zaplanowali wszystko wspólnie z Raulem. Za pieniądze z praw autorskich kupili dużą działkę w pobliżu Rio de Janeiro. Tam zbudują to, co prawie sto lat wcześniej Bestia starała się osiągnąć w Cefalu na Sycylii, za-

nim wydaliły ją z kraju włoskie władze. Bestia popełniła mnóstwo błędów; nie zgromadziła wystarczającej liczby adeptów i nie potrafiła zarabiać pieniędzy. Głosiła, że jest oczekiwanym numerem 666 i przyszła na świat, żeby stworzyć społeczeństwo, w którym słabi będą służyli silnym, a jedynym prawem stanie się robienie tego, na co się ma ochotę. Nie potrafiła jednak rozpropagować swoich idei. Niewielu traktowało je poważnie.

On i jego partner, Raul Seixas, to co innego! Raul śpiewał i cała Brazylia go słuchała. Byli bardzo młodzi i zarabiali kupę forsy. Prawda, że żyli w kraju rządzonym przez wojsko, ale władze były zbyt zajęte zwalczaniem komunistycznej partyzantki, żeby zawracać sobie głowę jakimś piosenkarzem. Przeciwnie, wojskowi uważali, że rock odciągnie młodzież od komunizmu.

◎

Zjadł śniadanie stojąc w oknie. Postanowił pójść na spacer, później miał spotkanie ze swoim partnerem w interesach. Nie przeszkadzało mu to, że jego przyjaciel był znany i popularny, a on sam żył w jego cieniu. Najważniejsze, że zarabiał sporo pieniędzy i mógł realizować swoje pomysły. Ludzie związani ze środowiskiem muzycznym i z magią doskonale go znali i to mu wystarczało. A co do popularności, anonimowość mu się nawet podobała. Nieraz słyszał fanów z zachwytem mówiących o jego pracy, nie zdając sobie sprawy z tego, że autor piosenki stoi tuż obok nich.

Założył adidasy. Kiedy się schylił, żeby zawiązać sznurowadła, zakręciło mu się w głowie.

Uniósł głowę. Mieszkanie pogrążone było w dziwnym jak na tę porę dnia półmroku, a przecież, jak widział przed chwilą, za oknem świeciło słońce. Coś się paliło? Może jakiś sprzęt elektroniczny, bo kuchenka była wyłą-

czona. Szukał po wszystkich kątach. Nie znalazł niczego podejrzanego.

Powietrze zrobiło się ciężkie. Postanowił natychmiast wyjść z domu. Z rozwiązanymi sznurowadłami ruszył do drzwi, ale nagle źle się poczuł.

„Zjadłem coś, co mi zaszkodziło", pomyślał, chociaż z drugiej strony znał swoje wszystkie objawy zatrucia. Tym razem nie czuł nudności, nie chciało mu się wymiotować. Tylko lekki zawrót głowy, który nie ustępował.

Ciemność. Robiło się coraz ciemniej. Otaczała go jakaś siwa chmura. Znów zakręciło mu się w głowie. Musiało mu coś zaszkodzić! „Może to spóźniony efekt kwasu?", pomyślał. Ale LSD nie tykał od prawie pięciu lat. Spóźnione efekty kwasu pojawiały się w ciągu pierwszych sześciu miesięcy po odstawieniu. Później ustąpiły bez śladu.

Był przerażony. Musiał wyjść z mieszkania.

◎

Otworzył drzwi – zawroty głowy nie ustąpiły. Może zasłabnąć na ulicy. Lepiej zostać w domu i przeczekać. Napisała, że zaraz wraca. Bilecik nadal leżał na stole. Mógł na nią poczekać. Razem poszukają apteki, albo pójdą do lekarza, chociaż lekarzy nienawidził. To nie mogło być nic poważnego. Kto w wieku 26 lat dostaje zawału serca?

Nikt.

Położył się na sofie. Potrzebował zająć czymś umysł. „Nie powinienem myśleć o niej, bo wtedy czas zatrzymuje się w miejscu". W ten sposób nigdy się jej nie doczeka. Próbował czytać gazetę, ale coraz silniejsze zawroty głowy mu to uniemożliwiły. Niewidzialna siła pchała go do czarnej dziury, która pojawiła się na środku salonu. Usłyszał odgłosy: śmiechy, głosy, trzask i brzęk tłukących się przedmiotów. Nigdy wcześniej mu się to nie przytra-

fiło. Nigdy! Zawsze, kiedy był na haju, miał świadomość, że to działanie narkotyku, że to halucynacje, które ustąpią w swoim czasie. Ale to, co przeżywał teraz, było przerażająco realne!

Nie mogło jednak być prawdą. Rzeczywistością były dywany na podłodze, zasłony w oknach, półki z książkami i płytami, stół z resztkami śniadania. Z wysiłkiem skoncentrował się na przedmiotach go otaczających, ale czarna otchłań i związane z nią odgłosy, chichoty i trzaski nie cichły.

Nie, to nie dzieje się naprawdę. Od sześciu lat zajmował się magią i odprawił wszelkie możliwe rytuały. To musi być sugestia, sztuczka psychologiczna, która bawi się cudzą wyobraźnią. Nic więcej.

Wpadał w coraz większą panikę. Zawroty głowy stawały się coraz silniejsze. Coś zdawało się wyciągać go z własnego ciała i pchać w kierunku tego czarnego świata pełnego chichotów, odgłosów, hałasu – wszystko przerażająco rzeczywiste!

„Nie wolno mi się bać. Strach tylko pogorszy mój stan". Próbował się opanować. Wstał i poszedł do łazienki, obmył twarz. Poczuł się trochę lepiej, dziwne uczucie zdawało się mijać. Włożył adidasy i próbował o wszystkim zapomnieć. Przez chwilę bawiła go nawet myśl, że opowie przyjaciółce o transie i o kontakcie z demonami.

Wystarczyło tylko o tym pomyśleć, a zawroty głowy powróciły ze zdwojoną siłą.

Napisała „zaraz wracam". Dlaczego jej jeszcze nie ma!

„Na planie astralnym nigdy nie osiągnąłem konkretnych rezultatów". Nigdy nie widział żadnego anioła, ani demona, ani nawet ducha osoby zmarłej. Bestia pisał w swoich pamiętnikach, że potrafi materializować przedmioty, ale to bujda. Dobrze wiedział, że Bestia aż tyle nie osiągnęła. Bestia nie podołała wyzwaniu. Podobały mu się jej pomysły, bo były modne, przepełnione buntem. Po-

za tym niewiele osób słyszało o projekcie Bestii, a jak wiadomo ludzie czują szczególny respekt wobec tych, co rozprawiają o sprawach zrozumiałych tylko dla wybranych. Cała reszta – Hare Krishna, Dzieci Boga, Kościół Szatana, czy Ramana Maharishi – ich przesłanie było jasne dla każdego. Natomiast Bestia – tę znała tylko garstka wybrańców! „Prawo silniejszego", głosił jeden z jej tekstów. Bestia trafiła na okładkę jednej z najbardziej znanych płyt Beatlesów, „Sgt. Pepper's Lonely Hearts Club Band", o czym mało kto wiedział. Być może sami Beatlesi nie do końca zdawali sobie sprawę, czyj wizerunek zamieszczają na okładce.

Zadzwonił telefon. To mogła być jego dziewczyna. Skoro jednak napisała „zaraz wracam", to po co teraz telefonuje?

Chyba że coś jej się przydarzyło.

Dlatego nie wraca. Zawroty głowy nasiliły się, były coraz częstsze. Nagle wokół zrobiło się czarno. Wiedział jedno – niewiadomo skąd – że to dziwne uczucie nie może przejąć nad nim kontroli. Jeśli się podda, zdarzy się najgorsze: pochłonie go ciemność i nigdy od niej się nie uwolni. Za wszelką cenę musiał zachować kontrolę. Musi zająć czymś swój umysł, w przeciwnym wypadku to coś go pokona.

Telefon dzwonił. Skoncentrował się na jego dźwięku. Podnieś słuchawkę, mów, myśl o czymś innym, zapomnij o ciemności. Ten telefon to wybawienie, to cud. Nie wolno się poddać. Trzeba odebrać telefon.

– Tak, słucham?

W słuchawce zabrzmiał kobiecy głos. To nie była jego dziewczyna. To była Argeles.

– Paulo?

Wsłuchiwał się w jej głos w milczeniu.

– Paulo, słyszysz mnie? Musisz do mnie przyjść. Coś bardzo dziwnego się tu dzieje!

– O czym ty mówisz?

– Dobrze wiesz, Paulo! Wyjaśnij mi to, na miłość boską!

Odłożył słuchawkę, żeby nie usłyszeć czegoś, czego nie chciał słyszeć. Zdecydowanie to nie był spóźniony efekt zażywania narkotyków. Ani objawy szaleństwa. Nie miało to też nic wspólnego z zawałem serca. To było bardzo realne. Argeles uczestniczyła w rytuałach i teraz przeżywała to samo.

Ogarnęła go panika. Przez kilka minut starał się o niczym nie myśleć. Ciemności przejmowały nad nim kontrolę, otaczając go coraz ciaśniejszym kręgiem. Znalazł się na granicy krainy umarłych.

Umrze i to będzie kara za wszystko, co czynił bez wiary. Za wszystkich, których bez ich wiedzy uwiódł podstępnie i pod pozorem dobra wprowadził na drogę zła. Umrze, a Ciemności będą trwać, bo namacalnie doświadczał ich w tej chwili. Przychodzi w życiu dzień, kiedy trzeba zapłacić słony rachunek za wszystkie kłamstwa i błędy.

Wspomniał lata spędzone w szkole jezuitów. Modlił się o siłę, żeby dostać się do jakiegoś kościoła, prosić o odpuszczenie grzechów, błagać Boga o zbawienie dla duszy. Musiało mu się udać. Kiedy zajmował czymś umysł, zawroty głowy słabły. Potrzebował czasu, żeby dostać się do kościoła... Co za głupi pomysł!

Rzucił okiem na półkę z nagraniami. Zapragnął się dowiedzieć, ile ma płyt. Już dawno chciał to zrobić, ale wciąż odkładał na potem. Teraz to zrobi, musi wiedzieć, ile ich dokładnie jest. Zaczął liczyć: jeden, dwa trzy... to działało! Kontrolował zawroty głowy, pokonywał czarną czeluść, która próbowała go wciągnąć. Przeliczył wszystkie nagrania. Policzył jeszcze raz, żeby się upewnić, czy nie popełnił błędu. Teraz książki. Musi się dowiedzieć, ile ich ma. Więcej niż płyt? Znowu liczył. Wirowanie w głowie ustawało. Miał mnóstwo książek. Miał również mnóstwo kolorowych magazynów i pisemek alternatywnych. Policzy wszystko i zapisze w notesie. Musi wiedzieć, ile rozmaitych przedmiotów posiada. To sprawa najwyższej wagi.

Przeliczał sztućce w szufladzie, kiedy w drzwiach zazgrzytał klucz. Wróciła, wreszcie. Nie mógł sobie jednak pozwolić na dekoncentrację. Nie powinien nawet opowiadać jej o tym, co działo się w domu. Za chwilę to się skończy. Był tego całkowicie pewien.

Przyszła prosto do kuchni i objęła go płacząc.

– Pomóż mi... tu się dzieje coś strasznego. Ty przecież wiesz, co to jest. Pomóż mi!

Nie przerywał liczenia sztućców. Liczenie było jego zbawieniem. Musiał cały czas zajmować czymś umysł. Lepiej gdyby wcale nie przychodziła. Nie pomagała mu w niczym. Myślała dokładnie tak jak Argeles. Uważała, że on wie wszystko, że potrafi zatrzymać bieg wypadków.

– Zajmij się czymś! – krzyczał jak opętany. – Policz płyty! Policz książki!

Wpatrywała się w niego, nic nie rozumiejąc. Mechanicznie poszła w stronę półki z książkami.

Zanim tam doszła, rzuciła się na podłogę.

– Chcę do mamy... – powtarzała nienaturalnie niskim głosem. – Do mamy...

Marzył dokładnie o tym samym. Zatęsknił za matką. Chciał zadzwonić do rodziców i poprosić o pomoc. Od jak dawna ich nie odwiedzał? Odkąd zerwał z życiem klasy średniej, bardzo dawno temu. Robił wszystko, żeby nie przerywać liczenia noży i widelców, a ona leżała bezradna na podłodze, płacząc jak małe dziecko i rwąc włosy z głowy.

Był na skraju wytrzymałości. Należało zrobić coś szybko i skutecznie. Czuł, że to jego wina. Obwiniał się, bo sam wtajemniczał ją w magiczne rytuały. Zapewniał, że w ten sposób zdobędzie wszystko, o czym marzy. Sam nie wierzył w złote góry, które jej obiecywał. Teraz leża-

ła na podłodze błagając o pomoc. Wierzyła, że on może temu zaradzić, a on nie miał pojęcia, co począć.

Przez chwilę zamierzał krzyknąć na nią, ale pomylił się w liczeniu sztućców i czarna otchłań jakby przybrała na sile.

– Ty mi pomóż – wykrztusił. – Ja nie potrafię tego zatrzymać.

Wybuchnął płaczem.

Płakał ze strachu jak mały chłopiec. Pragnął wtulić się w ramiona rodziców, tak samo jak ona. Oblewał go zimny pot. Był pewien, że za chwilę umrze. Złapał ją za rękę. Jej dłoń także była nienaturalnie chłodna, chociaż pociła się intensywnie. Zaciągnął ją w stronę łazienki, żeby opłukać twarz i ręce – to kiedyś pomagało, gdy przesadził z narkotykami. Może i na to „coś" też pomoże. Przedpokój wydawał się ogromny. To „coś" rosło w siłę w zastraszającym tempie. Nie liczył już książek, płyt, noży, widelców. Nie było dokąd uciekać.

„Bieżąca woda".

Ta myśl dotarła do jego świadomości z jakiegoś zakątka mózgu, którego ciemność nie zdołała jeszcze opanować. Bieżąca woda! Oczywiście istniały moce ciemności, szaleństwa i śmierci, ale to nie wszystko!

– Umyj twarz pod bieżącą wodą – powtarzał kiedy weszli do łazienki. – Bieżąca woda oddala złe moce.

Usłyszała pewność w jego głosie. Znał się na magii. Wiedział wszystko i z pewnością ją ocali.

Odkręcił kurek prysznica, oboje weszli do kabiny: w ubraniu, z dokumentami i pieniędzmi w kieszeniach. Zimna woda spłukiwała ich ciała. Po raz pierwszy, odkąd się obudził, poczuł ulgę. Zawroty głowy ustąpiły. Stali jedną, dwie, trzy godziny pod lejącą się z góry wodą, drżąc z zimna i z przerażenia. Wyszedł spod prysznica tylko na chwilę, żeby zadzwonić do Argeles i polecić jej to samo remedium. Musiał szybko kończyć rozmowę, bo wróciły zawroty głowy. Pobiegł do łazienki i znów wszedł pod prysznic. W kabinie nic im nie groziło. Musiał jednak zrozumieć, co się dzieje.

– Nigdy w to nie wierzyłem – wyszeptał.

Spojrzała na niego, nie rozumiejąc, o czym mówi. Dwa lata wcześniej był hippisem bez grosza przy duszy, teraz piosenki jego autorstwa śpiewane przez wspólnika rozbrzmiewają jak kraj długi i szeroki. Był u szczytu kariery, chociaż tylko nieliczni znali jego twarz. Zawsze powtarzał, że zawdzięcza to magii, sile rytuałów i studiom okultystycznym.

– Nigdy w to nie wierzyłem – powtórzył. – Gdybym wierzył, nigdy bym się tym nie zajął! Sam nie podjąłbym tego ryzyka, ani nie pozwolił na to tobie.

– Zrób coś na miłość boską! – poprosiła błagalnym głosem. – Nie możemy do końca życia chować się pod prysznicem!

Raz jeszcze wyszedł z kabiny. Poczuł ponowne zawroty głowy i wszechobecną czarną dziurę. Podszedł do półki z książkami i wrócił z Biblią. Trzymał Biblię w domu, żeby czytać Księgę Apokalipsy i czekać na królestwo Bestii. Robił wszystko, co nakazywali czciciele Bestii, a w głębi serca nie wierzył w nic z tego, co robił.

– Pomódlmy się do Boga – zaproponował. Poczuł się idiotycznie, ośmieszony w oczach kobiety, której od lat starał się zaimponować. Okazał się słabeuszem, czuł zbliżający się koniec. Miał potrzebę pokajania się, proszenia o przebaczenie. Teraz najważniejsze to ocalić własną duszę. W końcu przejrzał. Rzeczy ostateczne okazały się prawdą.

Przycisnął Biblię do piersi i zaczął odmawiać wyuczone w dzieciństwie modlitwy: Ojcze nasz, Zdrowaś Mario, Wierzę w jednego Boga. Na początku nie chciała się do niego przyłączyć, potem modliła się żarliwie.

Po modlitwie otworzył księgę na chybił trafił. Woda lała się po stronach Biblii, ale udało mu się odczytać hi-

storię człowieka, który poprosił o coś Jezusa, a ten nakazał mu mieć wiarę. Bohater odpowiedział: „Panie, ja wierzę, zaradź memu niedowiarstwu".

– Panie, ja wierzę, zaradź memu niedowiarstwu! – rozległ się jego krzyk wśród szumu strumieni wody.

– Panie, ja wierzę, zaradź memu niedowiarstwu! – wyszeptała przez łzy zdławionym głosem.

Odczuł niebywały spokój. Jeżeli istniało to okropne zło, jakie stało się ich udziałem, istniało także królestwo niebieskie, a z nim wszystko to, czego nauczył się w dzieciństwie i co potem zanegował.

– Wierzę w życie wieczne – powiedział. – Nie boję się śmierci. Ty też nie powinnaś się bać.

– Niczego się nie boję – odpowiedziała. – Nie boję się, ale uważam, że to niesprawiedliwe. Poza tym, szkoda umierać.

Mieli po 26 lat. Rzeczywiście szkoda umierać.

– Prowadziliśmy bardzo intensywne życie. Przeżyliśmy wszystko, co tylko możliwe w naszym wieku – powiedział. – Znam ludzi, którym nawet się nie śniło, że można mieć takie doświadczenia.

– Masz rację – odparła. – Jesteśmy gotowi na śmierć.

Uniósł twarz do góry. Spadające strumienie wody brzmiały jak bicie piorunów. Uspokoił się, nie płakał. Nie czuł też strachu. Po prostu płacił cenę za swoje zuchwalstwo.

– Panie, ja wierzę, zaradź memu niedowiarstwu – powtórzył. – Ofiarujemy Ci wszystko. Weź, co chcesz, ale zbaw nasze dusze. Weź nasze życie, weź wszystko, co posiadamy. Przyjmij ofiarę, Panie.

Spojrzała na niego z pogardą. Oto mężczyzna, którego podziwiała, silny, tajemniczy, odważny, który przekonał tylu do idei Społeczeństwa Alternatywnego, głosił nadejście świata, w którym wszystko będzie dozwolone, a silniejsi podporządkują sobie słabszych. Ten mężczyzna stał teraz przed nią z oczami pełnymi łez, wzywał na pomoc matkę, klepał pacierze jak dzieciak i powtarzał, że jego dotychczasowa odwaga brała się z faktu, że w nic nie wierzył.

Zwrócił się do niej. Poprosił, żeby oboje podnieśli twarze na znak ofiary. Usłuchała. Właśnie straciła swojego mężczyznę, swoją wiarę i swoją nadzieję. Nie miała już nic więcej do stracenia.

Zacisnął palce na kurku, powoli zakręcił kran. Mogli już umierać, Bóg przebaczył im grzechy.

Strumień wody zmienił się w rzadko spadające krople. Po chwili zapanowała kompletna cisza. Przemoczeni do suchej nitki, patrzyli sobie w oczy. Zawroty głowy, czarna dziura, okropne dźwięki, wszystko minęło.

Leżał z głową na piersi kobiety i płakał. Delikatnie głaskała go po włosach.

– Zawarłem ten pakt – łkał, a po policzkach spływały mu wielkie łzy.

– Nieprawda, to nie był ten pakt – rzekła kobieta. – Ofiarowałeś swoje życie i twoja ofiara została przyjęta.

Paulo ścisnął mocniej medalion z wizerunkiem archanioła. Rzeczywiście, ofiara została przyjęta, a kara spotkała go surowa. Dwa dni po pamiętnym poranku 1974 roku Paulo i Raul zostali aresztowani przez brazylijską policję polityczną pod zarzutem działalności wywrotowej, propagowania idei Społeczeństwa Alternatywnego. Wtrącono go do mrocznej celi podobnej do „czarnej dziury", jaką widział w swoim salonie. Był torturowany, groziła mu śmierć, ale na tym widocznie polegała ofiara. Wyszedł z więzienia i zerwał kontakty ze swoim wspólnikiem. Środowisko muzyczne odwróciło się od niego, na długi czas popadł w niełaskę. Nikt nie chciał go zatrudnić. Widocznie na tym polegała ofiara.

Stracił przyjaciół, zwątpił w swoje siły i chciał umrzeć. Latami bał się wychodzić z domu. Wydawało mu się, że na ulicy mogą go dopaść zawroty głowy, albo tajni funkcjonariusze policji politycznej. Najgorsze było jednak to, że po wyjściu z więzienia nigdy więcej nie zobaczył swojej ówczesnej dziewczyny. Bywały momenty, kiedy żałował złożonej ofiary. Wydawało mu się, że lepiej było umrzeć tamtego poranka, niż żyć dalej. Było jednak zbyt późno, czasu nie da się cofnąć.

– Jednak zawarłeś pakt – Walhalla domagała się odpowiedzi. – O co w nim chodziło?

– Przyrzekłem zrezygnować ze swoich marzeń – wyznał.

Przez siedem kolejnych lat płacił wysoką cenę za złożoną ofiarę. W końcu Bóg okazał swe miłosierdzie i pozwolił mu odbudować zrujnowane życie. Szef firmy fonograficznej, o którym śnił tamtego majowego poranka, zaproponował mu pracę. Stał się jego jedynym przyjacielem. Paulo znowu pisał teksty, ale ilekroć sukces zdawał się w zasięgu ręki, zdarzało się coś, co krzyżowało plany – wracał do punktu wyjścia.

„Każdy zabija kiedyś to, co kocha", przypomniał sobie słowa wypowiedziane przez J.

– Zawsze wydawało mi się, że brak sukcesu jest ceną, jaką płacę za przyjęcie mojej ofiary – powiedział.

– Nie zgadzam się – zaprzeczyła Walhalla. – Bóg twardo się z tobą obszedł. Ale pokazałeś, że jesteś od Niego twardszy.

– Obiecałem sobie nigdy więcej nie piąć się na szczyty. Straciłem pewność siebie. Bałem się.

Walkiria przytuliła jego głowę do piersi.

– Opowiedz o strachu – nalegała. – O strachu, który zobaczyłam w twoich oczach tamtego poranka, kiedy się poznaliśmy.

– Strach... – nie wiedział jak zacząć, wszystko, co mógłby powiedzieć wydawało się absurdalne. – Strach nie daje mi chwili wytchnienia, nie opuszcza mnie dniem i nocą.

Chris w tej chwili zrozumiała intencje swojego anioła. Musiała tu być, żeby usłyszeć wyznanie męża. W innych okolicznościach nigdy by jej o tym nie opowiedział...

– ...mam żonę, którą kocham, poznałem J., odbyłem pielgrzymkę do Santiago, piszę książki. Znowu jestem wierny swoim marzeniom i to budzi we mnie największy strach. Wszystko toczy się tak, jak sobie wymarzyłem, dlatego boję się, że wkrótce stanie się coś, co to zniszczy.

Poczuł się okropnie wypowiadając te słowa. Nigdy nikomu tego nie wyjawił. Ukrywał tę prawdę nawet przed samym sobą. Wiedział, że Chris to słyszy i zdjął go wstyd.

– Tak było z pisaniem tekstów do piosenek – ciągnął, pokonując opór wewnętrzny. – Tak było ze wszystkim, co od tamtej pory robiłem. Nic nie trwało dłużej niż dwa lata.

Poczuł, że Walhalla zdejmuje medalion z jego szyi. Podniósł się. Nie chciał, żeby zapalała światło. Nie miał odwagi spojrzeć żonie w oczy.

Walhalla zapaliła lampę i cała trójka skierowała się w milczeniu ku wyjściu.

◎

– My dwie pójdziemy przodem. Ty wyjdziesz w chwilę po nas – oznajmiła Walhalla, kiedy znaleźli się u wylotu tunelu.

Paulo był przekonany, że tak jak czternaście lat temu jego ówczesna dziewczyna, Chris nie uwierzy już nigdy żadnemu jego słowu.

– Dzisiaj wierzę już w to, co robię – usiłował wyjaśniać, kiedy obie kobiety zaczynały się oddalać ku wyjściu. Niedokończone wyznanie brzmiało w kamiennym tunelu jak prośba o wybaczenie, jak usprawiedliwienie.

Nie odpowiedziały. Po kilku krokach Walhalla zgasiła lampę. Z zewnątrz wpadało wystarczająco dużo światła, żeby się bezpiecznie poruszać.

– Zanim wyjdziesz z jaskini, przysięgnij! – krzyknęła w jego stronę. – Przysięgnij na archanioła Michała, że nigdy, nigdy więcej nie podniesiesz na siebie ręki!

– Boję się przysięgać! – odkrzyknął w odpowiedzi. – Nie wiem, czy uda mi się dotrzymać słowa.

– Nie masz wyboru, jeżeli rzeczywiście chcesz zobaczyć swojego anioła.

– Przecież nigdy nie zdawałem sobie sprawy, że sam sobie szkodzę. Mogę nadal się oszukiwać.

– Teraz już zdajesz sobie z tego sprawę – odpowiedziała Walhalla. – Poznałeś prawdę, a prawda cię wyzwoli. Napotkasz w życiu jeszcze wiele problemów, i łatwych, i trudnych. Od tego momentu jednak wszystko to zostaw Bogu – ty się do tego nie mieszaj.

– Przysięgam na archanioła Michała.

◎

Kiedy wyszły, odczekał chwilę i ruszył w stronę wyjścia. Przebywał w ciemnościach wystarczająco długo.

Drogę wskazywały mu odbijające się od skał promienie. Stanął przed kratą, która mu się jawiła jak brama do zakazanego królestwa. Bał się ją przekroczyć. Po drugiej stronie znajdowało się królestwo światła, a on przez długie lata żył w ciemnościach. Brama wydawała mu się zamknięta na zawsze. Wystarczyło jednak podejść bliżej, żeby stwierdzić, że jej otwarcie jest możliwe.

Miał przed sobą bramę do światła. Pragnął przez nią przejść. Z zewnątrz bił złoty blask. Postanowił nie wkładać ciemnych szkieł. Tęsknił za światłem, potrzebował go. Czuł, że archanioł Michał stoi u jego boku, gotów rozproszyć ciemności swoim ognistym mieczem.

Przez lata wierzył w karzące ramię Boga i bał się kary. To jednak nie Bóg był sprawcą zniszczenia. Nigdy więcej sobie na to nie pozwoli.

– Zrywam pakt! – krzyknął w stronę ciemności w głębi kopalni. Odwrócił się w stronę światła pustyni. – Bóg ma prawo mnie zniszczyć. Ja nie mam prawa podnosić na siebie ręki.

Pomyślał o książkach, które napisał. Poczuł radość. Ten rok skończy się szczęśliwie, zerwał przeklęty pakt. Z pewnością pojawią się jakieś problemy w pracy, w miłości, w dążeniu do poznania tajników magii – problemy poważne i mniej poważne, jak mówiła Walhalla. Ale od tej chwili będzie walczył mając u swego boku anioła stróża.

– Zrobiłeś wszystko, co w twojej mocy – rzekł do swojego anioła. – Tymczasem ja niszczyłem wszystko, a ty nie potrafiłeś zrozumieć, dlaczego to robię.

Anioł słuchał jego słów. Wiedział o pakcie i był szczęśliwy, że odtąd nie musi już ciągle ratować swojego podopiecznego przed autodestrukcją.

◎

Paulo pchnął kratę i wyszedł na zewnątrz. Przez chwilę złociste słońce go oślepiło, ale stał z szeroko otwartymi oczami, potrzebował światła. Dostrzegł sylwetki Walhalli i Chris. Szły w jego stronę.

– Połóż dłoń na jego ramieniu – powiedziała Walkiria do Chris. – Będziesz świadkiem.

Walhalla skropiła palce wodą z bidonu i zrobiła znak krzyża na jego czole, jakby udzielała mu chrztu. Potem uklękła i poprosiła, żeby uczynili to samo.

– W imię archanioła Michała ten pakt został ujawniony. W imię archanioła Michała ten pakt został zerwany.

Przyłożyła medalion do jego czoła i poprosiła, żeby powtarzali za nią.

Aniele Boży Stróżu mój
Ty zawsze przy mnie stój...

Dziecięca modlitwa odbijała się echem o ściany skał i rozbrzmiewała po pustyni.

Rano, wieczór, we dnie, w nocy,
bądź mi zawsze ku pomocy.
Strzeż duszy i ciała mego,
zaprowadź mnie do Królestwa Niebieskiego.
Amen.

– Amen – powiedziała Chris.
– Amen – powtórzył.

Ludzie podchodzili zaciekawieni.

– Cholerne lesbijki – rzucił ktoś z tłumu.

– Kompletne wariatki – dodał inny.

Walkirie wiązały końce kolorowych chust, aż powstał z nich jeden powróz. Potem usiadły w kręgu na ziemi, łokcie oparły na kolanach, w dłoniach trzymały barwny sznur.

Walhalla stanęła w środku kręgu. Ze wszystkich stron ściągali gapie. Zebrało się ich sporo, kiedy Walkirie zaintonowały:

Nad rzekami Babilonu,
Tam myśmy siedzieli i płakali,
kiedyśmy wspominali Syjon.
Na topolach tamtej krainy
zawiesiliśmy nasze harfy.

Zgromadzeni patrzyli po sobie zdezorientowani. Nie po raz pierwszy te kobiety pojawiały się w ich mieście. Gościły tu już wcześniej i wygłaszały dziwne mowy, miejscami przypominające kazania telewizyjnych kaznodziejów.

– Odwagi! – głos Walhalli brzmiał mocno i donośnie. – Otwórzcie serca, słuchajcie, co wam podpowiadają marzenia. Dążcie do spełnienia swoich marzeń, albowiem tylko człowiek, który nie wstydzi się siebie, jest w stanie zaświadczyć o Bożej Chwale.

– Oszalała na pustyni – oceniła jakaś kobieta.

Kilka osób odeszło. Mieli dość kazań.

– Jedynym grzechem jest brak miłości – ciągnęła Walhalla. – Odwagi! Miejcie odwagę kochać, choćby miłość wydawała się okrutna i zdradliwa. Czerpcie radość z miłości. Czerpcie radość ze zwycięstwa. Podążajcie za głosem serca.

– Bzdury! – odezwał się głos z tłumu. – Każdy ma obowiązki.

Walhalla odwróciła się w stronę mówiącego. Udało się – ci ludzie jej słuchali! Jeszcze pięć lat temu nikt w tym miasteczku nie interesował się tym, co miały do powiedzenia.

– Mamy dzieci, mężów, żony. Musimy zarabiać i płacić rachunki – dorzucił ktoś inny.

– Wypełniajcie swoje obowiązki. Ale nie pozwólcie, żeby ktokolwiek odebrał wam marzenia. Pamiętajcie, że każdy z nas jest ucieleśnieniem Absolutu. Dlatego należy robić tylko to, co naprawdę robić warto. Jedynie ci, którzy tak postępują, zrozumieją nadchodzące przemiany.

„Chodzi jej o Konspirację", pomyślała Chris. Przypomniała sobie, jak to kiedyś z przyjaciółmi z kościoła śpiewem zachęcała ludzi do porzucenia grzesznego życia. Wtedy nikt nie zwiastował nadejścia nowych czasów. Kaznodzieje głosili potrzebę nawrócenia i powrotu do Chrystusa. Grozili ogniem piekielnym i potępieniem.

Przecisnęła się między słuchaczami, aż dostrzegła Paula. Siedział na ławeczce z dala od tłumu. Podeszła do niego.

– Jak długo będziemy z nimi jeździli? – zapytała.

– Dopóki Walhalla nie nauczy mnie, jak zobaczyć mojego anioła.

– Towarzyszymy im prawie od miesiąca.

– Nie może mi odmówić. Złożyła przysięgę i zgodnie z Tradycją musi jej dotrzymać.

Tłum rósł z minuty na minutę. Chris pomyślała, że przemawianie do zgromadzonych tutaj osób nie jest proste.

– Myślisz, że ktoś bierze je na serio? – zapytała. – Te ich czarne skóry, te motocykle?

– Walczą o najstarsze wartości – odparł Paulo. – Dziś żołnierze stosują kamuflaż, maskują się i ukrywają, zanim zaatakują z zaskoczenia. Dawni wojownicy wprost przeciwnie: szli na pole bitwy w barwnych, kunsztownie zdobionych strojach. Chcieli, żeby nieprzyjaciel ich zauważył. Byli dumni, że mogą walczyć.

– Dlaczego to robią? Po co te kazania w parkach, w barach, na pustyni? Dlaczego pomagają nam rozmawiać z aniołami?

Zapalił papierosa.

– Kpisz sobie z Konspiracji – odrzekł Paulo – ale ona istnieje naprawdę.

Roześmiała się. Przecież żadnej Konspiracji nie ma. Wymyśliła ją mając na myśli przyjaciół męża, którzy często zachowywali się jak tajni agenci, unikający rozmów na pewne tematy w obecności niewtajemniczonych, zmieniający temat, gdy zjawiał się ktoś obcy. A jednocześnie głoszący, że jako członkowie Tradycji nie mają przed światem nic do ukrycia.

Paulo jednak najwyraźniej mówił poważnie.

– Wrota Raju zostały ponownie otwarte – ciągnął. – Bóg wygnał anioła z ognistym mieczem w dłoni, który strzegł do nich dostępu. Przez pewien czas – nikt nie wie dokładnie jak długo – każdy może dostać się do Raju. Przecież wrota stoją otworem.

Przypomniał sobie starą kopalnię złota. Do tamtego zdarzenia sprzed tygodnia był głęboko przekonany, że nie chce wstępować do Raju.

– Skąd ta pewność? – zagadnęła.

– Gwarancją jest wiara. Wiara i Tradycja – padła odpowiedź.

Podeszli do ulicznego sprzedawcy lodów i kupili dwie duże porcje. Walhalla wciąż przemawiała do tłumu. Jej kazanie wydawało się nie mieć końca. Zaraz pewnie Walkirie odegrają swoją sztukę z udziałem widzów. Dopiero wtedy przedstawienie się skończy.

– Czy każdy wie, że wrota są otwarte? – zapytała.

– Niektórzy wiedzą i starają się przekazać tę wiedzę innym. Jest jednak pewien problem.

Paulo wskazał palcem na pomnik stojący pośrodku placu.

– Załóżmy, że tam znajduje się Raj i każdy z nas ma inną drogę do przebycia. Właśnie dlatego ludzie rozmawiają ze swoimi aniołami. Bo anioły najlepiej znają drogę. Nie ma sensu szukać pomocy u przywódców religijnych.

– Podążajcie za swoimi marzeniami! Nie bójcie się ryzyka! – grzmiała Walhalla.

– Jaki będzie ten nowy świat?

– Będzie należał do tych, którzy dostaną się do Raju – odpowiedział Paulo. – Będzie to świat adeptów Konspiracji, jak ją nazywasz. Świat ludzi umiejących dostrzec postępujące zmiany, śmiało realizujących własne marzenia i słuchających głosu swoich aniołów. Świat tych, co wierzą w nowy ład.

Przez tłum przebiegł szmer. Chris wiedziała, że rozpoczął się już spektakl. Chciała podejść bliżej i obejrzeć widowisko, ale to, co mówił Paulo, było ważne.

– Przez wieki płakaliśmy nad rzekami Babilonu – ciągnął Paulo. – Wieszaliśmy nasze harfy, ponieważ zabroniono nam śpiewać. Prześladowano nas i mordowano, ale nie zapominaliśmy o istnieniu Ziemi Obiecanej. Tradycja przetrwała. Nauczyliśmy się walczyć, a walka nas wzmocniła. Ludzie znów zwracają się ku sferze duchowej. Jeszcze kilka lat temu uznano by ich za zacofanych mieszkańców ciemnogrodu. Istnieje niewidzialna więź między ludźmi, którzy wybrali światłość; coś na kształt tych kolorowych chust wiązanych przez Walkirie. Ta więź jest jak solidny, świetlisty powróz trzymany przez anioły, jak dająca nam oparcie poręcz. Jest nas wielu, rozsianych po całym świecie. Łączy nas ta sama wiara.

– Jak się właściwie nazywa ten nowy świat? – zapytała. – Nowa Era? Szósta Rasa? Siódmy Promień?

– Wszystkie te nazwy oznaczają to samo, zapewniam – powiedział.

Chris spojrzała na Walhallę: stała na środku placu i opowiadała o aniołach.

– A ona... Stara się przekonać innych?

– Nie stara się nikogo przekonać. Wszyscy pochodzimy z Raju, rozproszyliśmy się po ziemi i musimy wracać. Walhalla zachęca nas, żebyśmy zapłacili cenę powrotu.

Chris przypomniała sobie wyprawę do kopalni.

– Czasami to bardzo wysoka cena.

– Możliwe. Są ludzie, którzy są gotowi ją zapłacić. Wiedzą, że to, o czym mówi Walhalla, jest czystą prawdą. Jej słowa przypominają im coś, o czym wiedzieli od zawsze. Wszyscy nosimy w sobie wspomnienia z Raju. Przez całe lata nic nie pamiętamy, aż pewnego dnia coś się zdarzy: narodziny dziecka, strata kogoś bliskiego, niebezpieczeństwo, piękny zachód słońca, książka, piosenka, albo banda kobiet w czarnych skórach, rozprawiających o Bogu. Cokolwiek. I nagle sobie przypominamy. Właśnie to robi Walhalla. Przypomina nam o istnieniu tego miejsca. Niektórzy sobie przypomną, inni nie.

– Ona głosi przecież nadejście nowego świata.

– To tylko słowa. Tak naprawdę zdjęły swoje harfy z topól i znów zaczęły śpiewać. Po całym świecie niosą się już pieśni głoszące dobrodziejstwa czekające nas w Ziemi Obiecanej. Nikt nie jest już samotny.

Usłyszeli ryk silników. Przedstawienie się skończyło. Paulo skierował się w stronę samochodu.

– Dlaczego nigdy mi o tym nie mówiłeś? – zapytała.

– Przecież sama o tym wiesz.

Tak, wiedziała o tym od zawsze. Ale dopiero teraz sobie o tym przypomniała.

Kobiety w czarnych skórach i kolorowych chustach z rykiem silników jeździły z miasta do miasta. Wszędzie opowiadały o Bogu.

Paulo i Chris podążali za nimi. Kiedy Walkirie zatrzymywały się w pobliżu miasta, spędzali noc w hotelu. Kiedy rozbijały obóz na pustyni, spali w aucie albo pod gołym niebem. Rozpalali ognisko, żeby odstraszyć dzikie zwierzęta. Zasypiając widzieli gwiazdy i słyszeli wycie kojotów.

Od popołudnia w starej kopalni Paulo zaczął praktykować channeling. Nie chciał, żeby Chris pomyślała, że mąż nie ma pojęcia o tym, czego próbuje ją nauczyć.

– Przecież ja znam J. – powiedziała, kiedy się usprawiedliwiał. – Nie musisz niczego udowadniać.

– Tamta dziewczyna też znała mojego ówczesnego mistrza – odpowiedział.

◎

Siadali naprzeciw siebie każdego popołudnia. Najpierw uciszali drugi umysł. Potem modlili się do swoich aniołów i przywoływali je.

– Głęboko wierzę w ten nadchodzący nowy świat – zwrócił się do Chris po zakończeniu ćwiczeń.

– Jestem przekonana, że wierzysz. Inaczej nie popełniłbyś tych wszystkich szaleństw.

– Mimo wszystko nie jestem pewien, czy to, co robię, ma ręce i nogi.

– Nie oceniaj się tak surowo – pocieszała go. – Dajesz z siebie wszystko. Mało kto zrobiłby tyle, co ty, żeby spotkać swojego anioła. Pamiętaj, że zerwałeś pakt.

Umowa zerwana w starej kopalni. J. będzie z niego dumny. Chociaż Paulo był prawie pewien, że wie wszystko, co trzeba, J. nie próbował go odwodzić od wyprawy na pustynię.

◎

Po channelingu rozmawiali godzinami o swoich aniołach. Tylko ich dwoje.

◎

Pewnego wieczoru po ćwiczeniach poszedł do Walhalli.

– Znasz Tradycję – powiedział. – Nie możesz przerwać rozpoczętego już procesu.

– Niczego nie przerywam – odpowiedziała.

– Za kilka dni wracam do Brazylii. Powinienem przedtem przyjąć przebaczenie i zrobić zakład.

– Nie przerywam procesu – powtórzyła.

Zaprosiła go na wspólny spacer po pustyni. Kiedy słońce kryło się za horyzont, usiedli na ziemi i podziwiali zachód. Rozmawiali o rytuałach i ceremoniach. Walhalla wypytywała o techniki, jakich używał J., Paulo o rezultaty głoszenia pustynnych kazań.

– Przygotowuję drogę – rzuciła od niechcenia. – Wypełniam swoje zadanie. Mam nadzieję, że mi starczy sił i odwagi, żeby je dokończyć. Potem dowiem się, jaki będzie następny krok.

– Skąd będziesz miała pewność, kiedy zakończyć tę misję?

Ruchem głowy Walhalla wskazała horyzont.

– Musimy okrążyć tę pustynię jedenaście razy, jedenaście razy odwiedzić te same miejsca, powtórzyć jedenastokrotnie ten sam rytuał. Tylko tyle wiem.

– Powiedział ci o tym twój mistrz?

– Nie mam mistrza. Powiedział mi o tym archanioł Michał.

– A która to runda?

– Już dziesiąta.

Walhalla oparła głowę na ramieniu Paula. Przez długi czas milczeli. Miał ogromną ochotę pogłaskać ją po włosach, tak jak ona gładziła go w opuszczonej kopalni złota. Była wojowniczką, ale jak każdy potrzebowała chwili wytchnienia od walki.

Przez chwilę bił się z myślami, ale nie dotknął jej. Wkrótce wstali i wrócili do obozu.

Dni mijały. Paulo wpadał w panikę. Bał się, że od Walkirii niczego więcej się nie dowie. Podejrzewał, że podobnie jak Took, uczą go wszystkiego, co powinien wiedzieć, ale jednocześnie nie wskazują mu właściwej drogi. Zaczął dokładniej się im przyglądać i analizować ich poczynania. Miał nadzieję, że odkryje jakąś tajemnicę, podpatrzy jakąś nową technikę, nowy rytuał. Każdego popołudnia Walhalla zapraszała go na spacer i wspólne oglądanie zachodu słońca. Postanowił zapytać ją wprost.

– Nic nie stoi na przeszkodzie, żebyś uczyła mnie bezpośrednio. Nie jesteś mistrzynią. To znaczy nie tak jak Took, J., czy choćby ja – my znamy obie Tradycje.

– Ależ ja jestem mistrzynią. Nie rzucam uroków, nie biorę udziału w sabatach, nie należę też do żadnego tajnego stowarzyszenia. Wiem jednak o wielu rzeczach, o których ty nie masz pojęcia. Bo objawił mi je archanioł Michał.

– Dlatego tu jestem. Żeby się od ciebie uczyć.

Siedzieli na piasku oparci o skałę.

– Potrzebuję czułości – wyznała. – Bardzo potrzebuję czułości.

Położyła mu głowę na kolanach. Nie odzywali się do siebie, wpatrzeni w linię horyzontu.

Wreszcie Paulo przerwał ciszę.

– Wyjeżdżam za kilka dni, wiesz o tym – powiedział i czekał na jej reakcję. Nie odpowiadała. – Muszę dowiedzieć się, jak zobaczyć swojego anioła. Mam wrażenie, że próbujesz mnie tego uczyć, ale ciągle go nie widzę.

– Moje nauki są jasne jak pustynne słońce.

Paulo dotknął płomienistych włosów rozsypanych na jego kolanach.

– Masz piękną żonę – przypomniała mu Walhalla.

Cofnął rękę.

Tej samej nocy, kiedy kładli się spać, powtórzył Chris słowa Walhalli. Uśmiechnęła się tylko i nic nie powiedziała.

Nadal podróżowali razem. Mimo zapewnień Walhalli o jasności jej nauk Paulo ciągle przyglądał się bacznie wszystkiemu, co robiły Walkirie. Ich codzienne zajęcia miały stały rytm. Jeździły z miejsca na miejsce, wygłaszały kazania na ryneczkach i placach, wykonywały rytuały, które już znał, jechały dalej.

No i uprawiały miłość. Kochały się z mężczyznami spotkanymi po drodze. Zwykle byli to harlejowcy podróżujący w grupie, odważni na tyle, żeby zbliżyć się do Walkirii, wśród których istniała niepisana umowa, że Walhalla wybiera pierwsza. Dopiero kiedy nie była zainteresowana, inna z grupy mogła zbliżyć się do przybysza.

O tym mężczyźni oczywiście nie mieli pojęcia. Wydawało im się, że wybierają sobie kobietę. Tymczasem to one wybierały ich.

Walkirie piły piwo i mówiły o Bogu. Odprawiały święte misteria i kochały się wśród skał. W większych miastach w najbardziej uczęszczanym miejscu wystawiały swój dziwaczny spektakl, w który wciągały widzów.

Po przedstawieniu prosiły obecnych o parę groszy. Walhalla nie brała udziału w spektaklu, ale nad wszystkim czuwała. Przechadzała się ze swoją kolorową chustą w dłoniach i zbierała datki. Zawsze udawało się zebrać tyle, ile akurat potrzebowały.

Każdego popołudnia, przed spacerem po pustyni, Paulo i Chris praktykowali channeling i rozmawiali ze swoimi aniołami. Łączność nie została jeszcze ostatecznie nawiązana, mimo to oboje czuli stałą obecność i opiekę aniołów, ich miłość i wszechogarniający spokój. Zdarzało im się słyszeć jakieś zdania pozbawione sensu, miewali niejasne przeczucia, ale na ogół doznawali jedynie ogromnej radości. Poza tym niewiele się działo. Byli jednak przekonani, że rozmawiają z aniołami. Mieli pewność, że ich anioły są z tych rozmów zadowolone.

Anioły były zadowolone, że mogą ponownie rozmawiać ze swoimi podopiecznymi. Ktokolwiek decyduje się na rozmowę ze swoim aniołem, odkrywa zdziwiony, że kontaktuje się z nim nie po raz pierwszy, że rozmawiał z nim dużo wcześniej, w dzieciństwie, kiedy to anioły pojawiały się pod postacią tajemniczego przyjaciela, prowadziły z nimi długie rozmowy, bawiły się i chroniły go przed niebezpieczeństwami i złem tego świata.

Każde dziecko rozmawia ze swoim aniołem stróżem, aż do dnia, kiedy dorośli zauważają jego „dziwne zachowanie". A wtedy zaniepokojeni zwalają wszystko na nazbyt wybujałą wyobraźnię dziecka, szukają pomocy u psychologów i pedagogów. Dochodzą do wniosku, że trzeba skończyć z tą dziecinadą.

Rodzice wmawiają dziecku, że jego niewidzialni towarzysze zabaw nie istnieją, bo zapominają o tym, że kiedyś, dawno temu, sami prowadzili rozmowy ze swoimi aniołami. A może, co gorsze, uznali, że żyją w świecie, w którym nie ma miejsca dla aniołów. Zawiedzione anioły wracają przed oblicze Boga, ponieważ dobrze wiedzą, że nie wolno im narzucać nikomu swojej obecności.

Nadchodzi jednak nowy świat. Jedynie aniołowie wiedzą, gdzie znajdują się wrota Raju i prowadzą tam tych, którzy w nie uwierzą. Chociaż może niekoniecznie trzeba w nie wierzyć. Wystarczy bardzo ich potrzebować. Wtedy aniołowie wracają z radością.

◎

Całymi nocami Paulo rozmyślał o tym, dlaczego Walhalla odkłada to najważniejsze na sam koniec.

Chris znała odpowiedź na to pytanie. Walkirie także ją znały, chociaż żadna nie wspomniała o tym ani jednym słowem.

Chris spodziewała się ataku. Była przekonana, że Walhalla uderzy wcześniej czy później. To dlatego Walkiria ich nie odprawia, dlatego nie uczy Paula, jak zobaczyć swojego anioła.

Pewnego popołudnia po prawej stronie autostrady zobaczyli wysokie góry. Po kilku kilometrach również po lewej stronie wyrosły wyniosłe skalne ściany. Wjeżdżali w gigantyczny kanion. Przed nimi połyskiwała w słońcu tafla białych kryształów soli.

Znajdowali się w Dolinie Śmierci.

Walkirie rozbiły obóz w pobliżu Furnace Creek, w promieniu wielu kilometrów jedynym miejscu, gdzie można było zdobyć pitną wodę. Chris i Paulo postanowili przyłączyć się do ich obozu, bo jedyny hotel w Dolinie Śmierci był przepełniony.

Wieczorem wszyscy usiedli wokół ogniska. Rozmawiali o kobietach, mężczyznach, motocyklach i – po raz pierwszy od wielu dni – o aniołach. Jak zwykle przed udaniem się na spoczynek Walkirie powiązały razem kolorowe chusty i trzymając długi powróz recytowały psalm o rzekach Babilonu i harfach rozwieszonych na gałęziach topoli. Nigdy nie zapominały, że były wojowniczkami.

Po zakończeniu rytuału nad ich obozowiskiem zapanowała cisza. Wszyscy poszli spać. Wszyscy za wyjątkiem Walhalli.

Oddaliła się nieco od obozu i przez długi czas wpatrywała się w niebo. Modliła się do archanioła Michała. Prosiła, żeby jej nie opuszczał, pomagał swoimi radami i prowadził.

– Ty, który pokonałeś inne anioły, naucz mnie wygrywać – mówiła. – Pomóż mi utrzymać powierzone mi stado. Tych osiem kobiet to dopiero początek. Do nich dołączą tysiące, miliony nowych wyznawców. Wybacz moje grzechy i napełnij moje serce entuzjazmem. Dodaj mi sił, żebym potrafiła łączyć w sobie męską twardość i kobiecą delikatność. Niechaj moje słowo stanie się twoim mieczem. A miarą czynów – moje miłowanie.

Przeżegnała się i jeszcze długo wsłuchiwała się w dobiegające z oddali wycie kojota. Nie chciało się jej spać.

Kiedyś pracowała w banku Chase Manhattan, a jej życie po godzinach pracy zawodowej wypełniał mąż i dwoje dzieci.

Wtedy zobaczyła swojego anioła. Ukazał się jej odziany w światło i prosił o spełnienie tej misji. Do niczego jej nie zmuszał, nie groził, nie obiecywał. Po prostu prosił.

Następnego dnia zerwała z dotychczasowym życiem. Zabrała parę rzeczy i wyruszyła na pustynię Mojave. Zaczynała w pojedynkę. Opowiadała ludziom o otwartych wrotach Raju. Mąż się z nią rozwiódł, przyznano mu opiekę nad dziećmi. Nie do końca rozumiała, dlaczego podjęła się wypełnić tę osobliwą obietnicę. Płakała z rozpaczy i samotności. Wtedy przychodził anioł i opowiadał jej o innych kobietach, które zgodziły się zostać posłanniczkami Boga. Mówił o Dziewicy Maryi, świętej Teresie i Joannie D'Arc. Przekonywał, że świat potrzebuje przykładu, potrzebuje ludzi, którzy podążają za swoimi marzeniami i walczą o swoje ideały.

Przez prawie rok mieszkała w pobliżu Las Vegas. Pieniądze szybko się skończyły, dokuczał jej głód, sypiała pod gołym niebem. Aż do dnia, w którym w jej ręce wpadł fragment pewnego poematu.

Jego strofy poświęcone były historii świętej znanej pod imieniem Marii Egipcjanki. W drodze do Jerozolimy Maria zatrzymała się nad rzeką. Nie miała pieniędzy, żeby zapłacić za przeprawę. Widząc piękną kobietę, przewoźnik zaproponował, żeby zapłaciła swoimi wdziękami. Zdecydowana dotrzeć do celu pielgrzymki, Maria Egipcjanka oddała się właścicielowi łodzi. Kiedy wreszcie dotarła do Jerozolimy, ukazał się jej anioł i pobłogosławił za determinację. Po jej śmierci Kościół kanonizował ją. Dzisiaj jednak nikt już o niej nie pamięta.

Walhalla odczytała tę historię jako znak. Odtąd w dzień głosiła słowo Boże, a dwie noce w tygodniu spędzała w kasynach z bogatymi klientami. W ten sposób uzbierała trochę pieniędzy. Nigdy nie pytała swojego anioła, co o tym myśli. On także nigdy nie wspominał słowem na ten temat.

Powoli, prowadzone głosem swoich aniołów, wokół niej zaczęły się zbierać jej naśladowczynie.

– Została jeszcze jedna runda wokół pustyni – powiedziała. – Jeszcze jedna runda i misja będzie ukończona, a ja będę mogła wrócić do świata. Nie wiem, co mnie tam czeka, chcę jednak wrócić. Potrzebuję miłości, czułości. Potrzebuję mężczyzny, który ochroni mnie na tej ziemi, tak jak mój anioł ochrania mnie w niebie. Wykonałam swoje zadanie. Niczego nie żałuję, chociaż bywało trudno.

Jeszcze raz zrobiła znak krzyża i wróciła do obozu.

Zobaczyła, że Brazylijczycy nadal siedzą przy ognisku i wpatrują się w płomienie.

– Ile czasu zostało ci do czterdziestu dni na pustyni? – zapytała mężczyznę.

– Jedenaście.

– W takim razie jutro o dziesiątej wieczorem spotkamy się w Złotym Kanionie. Przyjmiesz przebaczenie. Odprawimy Rytuał Unieważniający Rytuały.

Paulo prawie podskoczył z wrażenia. Miała rację! Odpowiedź na jego pytanie była przez cały czas w zasięgu ręki!

– W jaki sposób? – zapytał.

– Przez nienawiść – odparła Walhalla.

– W porządku – rzekł, starając się ukryć zaskoczenie. Ale Walhalla doskonale wiedziała, że Paulo nigdy nie użył nienawiści w Rytuale Unieważniającym Rytuały.

Zostawiła ich przy ognisku. Podeszła do śpiącej Rothy, najmłodszej z Walkirii. Pochyliła się i lekko pogłaskała ją po twarzy, żeby ją obudzić. Podejrzewała, że Rotha może właśnie rozmawiać we śnie ze swoim aniołem i nie chciała zbyt gwałtownie tego kontaktu przerywać. Dziewczyna w końcu otworzyła oczy.

– Jutro dowiesz się, jak przyjąć przebaczenie – powiedziała Walhalla. – A wtedy zobaczysz swojego anioła.

– Przecież jestem już jedną z Walkirii.

– Oczywiście. Pozostaniesz Walkirią, nawet jeżeli nie uda ci się zobaczyć anioła.

Rotha się uśmiechnęła. Miała 23 lata i była bardzo dumna z tego, że przemierza pustynię razem z Walhallą.

– Nie zakładaj jutro skóry od wschodu słońca aż do zakończenia Rytuału Unieważniającego Rytuały.

Uścisnęła dziewczynę z wielką czułością.

– A teraz już śpij.

@

Paulo i Chris siedzieli wpatrzeni w ogień jeszcze przez pół godziny. Potem ułożyli się do snu, podkładając sobie pod głowy ubrania. W każdym z mijanych miast obiecywali sobie kupić śpiwory, ale zawsze żal im było czasu na chodzenie po sklepach. Poza tym wciąż wierzyli, że wszędzie znajdą hotel. Dlatego ilekroć spali w obozowisku Walkirii, musieli nocować w samochodzie lub bardzo blisko płonącego ognia. Nieraz iskry z ogniska opalały im włosy. Na szczęście nigdy nie zdarzyło się nic poważnego.

– O czym ona mówiła? – zapytała Chris.

– O niczym ważnym – wypił kilka piw i chciało mu się spać.

Chris nie dawała za wygraną. Chciała usłyszeć odpowiedź.

– W życiu wszystko jest rytuałem – podjął Paulo. – Dla czarowników i dla tych, którzy o magii nigdy nie słyszeli.

Chris wiedziała, że czarownicy mają swoje rytuały. Wiedziała też, że ludzie lubią rytualizować codzienne życie: chrzty, śluby, uroczystości wręczania dyplomów i odznaczeń.

– Nie, nie mówię o rzeczach tak oczywistych – niecierpliwił się Paulo. Oczy zamykały mu się same, a ona nie dawała mu spać. – Powiedziałem, że wszystko jest rytuałem. Każdy przeżyty dzień jest rytuałem. Rytuałem przygotowanym w najdrobniejszych szczegółach, który człowiek stara się za wszelką cenę wypełnić, w obawie, że pominięcie jakiegoś etapu zrujnuje mu życie. Rytuał ten nazywa się przyzwyczajeniem.

Usiadł na posłaniu. Od piwa kręciło mu się w głowie i na leżąco nie potrafiłby dokończyć myśli.

– Kiedy jesteśmy młodzi, niczego nie traktujemy poważnie. Stopniowo jednak kształtują się nasze codzienne obrzędy, rutyna która w końcu przejmuje nad nami kontrolę. Życie płynie swoim tokiem, otrzymujemy od niego to, czego oczekiwaliśmy. Boimy się cokolwiek zmienić w codzienności, żeby nie zapeszyć i nie narazić się na ryzyko. Lubimy narzekać, ale tak naprawdę cieszy nas fakt, że każdy dzień jest podobny do poprzedniego. Przynajmniej nic nas nie zaskakuje. A to powoduje zahamowanie naszego rozwoju duchowego. Rozwija się tylko to, co jest wkalkulowane w nasz rytuał: dzieci, kariera, konto bankowe. Kiedy umocni się nasz codzienny rytuał, powoli stajemy się jego niewolnikami.

– To dotyczy również czarowników i magów?

– Oczywiście. Używamy rytuału, żeby zyskać dostęp do świata niewidzialnego, uciszyć drugi umysł, wejść w kontakt z Niezwykłym. Jednak my też przyzwyczajamy się do tego, co już osiągnęliśmy. Tęsknimy za nowymi doświadczeniami, ale większość z nas boi się zmieniać swój ceremoniał. Boi się nieznanego, boi się, że nowy rytuał zawiedzie. Chociaż nieracjonalny, lęk ten jest bardzo silny i nie sposób go pokonać bez pomocy.

– Do tego służy Rytuał Unieważniający Rytuały?

– Właśnie. Czarownik nie jest w stanie zmienić swoich rytuałów, dlatego Tradycja postanowiła zmienić czarownika. To rodzaj świętego teatru, w którym czarownik ma do odegrania nową rolę.

Położył się i odwrócił do niej plecami udając, że śpi. Bał się, że żona będzie go ciągnąć za język, żeby się dowiedzieć, dlaczego Walkiria mówiła o nienawiści.

Święty teatr nigdy się nie odwołuje się do niskich uczuć. Przeciwnie, jego „aktorzy" starają się pracować nad Dobrem, wcielając się w role ludzi mocnych i duchowo spełnionych. W ten sposób sami sobie dowodzą, że mogą być lepsi, niż im się wydaje. A kiedy w to uwierzą, zmienia się ich podejście do życia, a tym samych ich życie.

Praca z niskimi uczuciami daje rezultat przeciwny: „aktorzy" nabierają przekonania, że są gorsi, niż sądzili.

Następnego dnia spędzili popołudnie w Złotym Kanionie, wśród krętych parowów o ścianach wysokich na sześć metrów. Ćwiczyli channeling, kiedy słońce chyliło się ku zachodowi. Wtedy zrozumieli, czemu kanion zawdzięczał tę nazwę. W promieniach zachodzącego słońca mieniły się tysiące drobnych ziarenek minerałów, jakby ściany wąwozu wyścielane były złotem.

– Dziś będzie pełnia – oznajmił Paulo.

Przeżyli już na pustyni pełnię księżyca. To był wspaniały spektakl.

– Kiedy się obudziłem, plątał mi się po głowie werset z Biblii – ciągnął Paulo. – Z Salomona: *Dobrze, jeżeli się trzymasz jednego, a od drugiego ręki swej też nie odejmiesz, bo kto się boi Boga, tego wszystkiego uniknie.*

– Dziwne przesłanie – stwierdziła Chris.

– Bardzo dziwne.

– Mój anioł coraz częściej ze mną rozmawia. Zaczynam pojmować jego słowa. Doskonale rozumiem, o czym mówiłeś w starej kopalni. A przecież nigdy nie wierzyłam, że coś podobnego może mi się przydarzyć.

Był zadowolony. Tylko we dwoje podziwiali porę zmierzchu. Walhalla nie zaprosiła go na spacer tego wieczoru.

Ściany kanionu nie skrzyły się już złotem. Księżyc rzucał dziwną, fantasmagoryczną poświatę na skały. Szli w milczeniu, wsłuchując się w najmniejszy hałas. Słyszeli odgłos własnych stóp na piasku. Nie mieli pojęcia, gdzie spotykały się Walkirie.

Doszli niemal do samego końca, do miejsca, gdzie szczelina rozszerzała się. Nigdzie śladu Walkirii .

– Rozmyśliły się – przerwała ciszę Chris.

Wiedziała, że Walhalla przeciąga tę grę w nieskończoność. Natomiast ona chciała, żeby się to już wreszcie skończyło.

– Nocne zwierzęta wyszły na łowy. Boję się węży. Wracajmy.

Paulo stał z podniesioną do góry głową.

– Popatrz tam – wskazał ręką. – Nie rozmyśliły się.

Błądząc wzrokiem Chris dostrzegła po prawej stronie na szczycie skalnej ściany sylwetkę kobiety, która im się przypatrywała.

Ciarki przeszły jej po plecach.

Pojawiła się druga postać, potem jeszcze jedna. Chris stanęła na samym środku. Po drugiej stronie zobaczyła jeszcze trzy sylwetki kobiet. Brakowało dwóch.

◎

– Witajcie w teatrze! – głos Walhalli odbijał się echem od skał. – Widzowie już tu są i czekają na spektakl!

Tak zawsze zapowiadała występy na miejskich placach.

„Mnie to przedstawienie nie dotyczy", pomyślała Chris. „Może powinnam wspiąć się do niej na górę?".

– Za wstęp płaci się przy wyjściu – rozbrzmiewał głos Walhalli, jakby wszystko się działo na rynku miasteczka. – Cena może być wysoka, możemy też zwrócić za bilet. Zaryzykujesz?

– Zaryzykuję! – odpowiedział Paulo bez wahania.

– O co tu chodzi?! – krzyknęła Chris. – Po co to całe przedstawienie, cały ten rytuał? Po to, żeby zobaczyć anioła? Dlaczego nie zachowujecie się jak inni? Dlaczego nie uprościcie kontaktu z Bogiem i świętościami tego świata?

Pytanie pozostało bez odpowiedzi. „Wszystko zepsuła", pomyślał Paulo.

– Rytuał Unieważniający Rytuały! – krzyknęła któraś z Walkirii.

– Cisza! – zagrzmiała Walhalla. – Widowni oddamy głos po przedstawieniu! Możecie klaskać, możecie gwizdać, ale tak czy owak zapłacicie za bilet!

W końcu Walhalla się ukazała. Przewiązała barwną chustą czoło jak Indianin z westernów. Zwykle tak ją zawiązywała w czasie wieczornych modlitw. Kolorowy kawałek materiału stawał się jej koroną.

Prowadziła ze sobą bosą dziewczynę, ubraną w szorty i bluzkę. Kiedy zbliżyły się, światło księżyca rozjaśniło ich twarze. Chris rozpoznała w dziewczynie Rothę, jedną z Walkirii. Bez skórzanej kurtki i spodni, bez buntowniczego spojrzenia, wyglądała jak dziecko.

Walhalla ustawiła dziewczynę naprzeciw Paula. Zaraz też zakreśliła wokół nich na ziemi wielki kwadrat. W każdym z rogów kwadratu zatrzymywała się i wypowiadała kilka słów. Paulo i Rotha powtarzali łacińskie formuły. Rotha pomyliła się kilka razy i musieli rozpoczynać wszystko od nowa.

„Biedaczka, nie ma nawet pojęcia, co mówi", przeszło Chris przez myśl. I kwadrat, i łacińskie słowa były czymś nowym w stosunku do zwykłych spektakli pokazywanych w miasteczkach.

Po wyrysowaniu kwadratu Walhalla kazała im podejść bliżej siebie. Stali teraz twarzą w twarz w samym środku kwadratu. Walhalla pozostała na zewnątrz.

Zwróciła się w stronę Paula, spojrzała mu głęboko w oczy i podała długi pas, którym się zwykle przepasywała.

– Wojowniku, jesteś przykuty do twojego przeznaczenia magiczną mocą tych linii i zapisanych w nich świętych imion. Wojowniku, zwycięzco jednej bitwy, znajdujesz się w swoim zamku i wkrótce otrzymasz należną ci nagrodę.

Oczyma wyobraźni Paulo zobaczył ściany swojego zamku. Od tego momentu kanion, Walkirie, Chris i Walhalla, wszystko straciło ważność.

Stał się aktorem świętego teatru. Rytuału Unieważniającego Rytuały.

– Trafiłaś do niewoli – zwróciła się do dziewczyny Walhalla – poniosłaś sromotną klęskę. Nie obroniłaś swoich wojsk z honorem. Z nieba zstąpią Walkirie i zabiorą twoje martwe ciało. Zanim to jednak nastąpi, musisz ponieść karę, na jaką zasługuje każdy pokonany.

Gwałtownym gestem rozdarła bluzkę dziewczyny.

– Niechaj rozpocznie się spektakl! Wojowniku, oto twoja nagroda!

Popchnęła dziewczynę z całej siły. Rotha upadła niezdarnie, rozcinając sobie podbródek. Z rany popłynęła krew.

Paulo ukląkł przy niej.

– Ona krwawi! – krzyknął. – Potrzebuje pomocy.

– Wojowniku, to twoje trofeum! – powtórzyła Walhalla i cofnęła się. – Ta kobieta posiadła tajemnicę, której szukasz. Wydobądź z niej tę tajemnicę, albo na zawsze zrezygnuj z poszukiwań.

Non nobis, Domine, non nobis. Sed nomini Tuo da Gloriam, wyrecytował szeptem dewizę Templariuszy. Musiał szybko podjąć decyzję. Przypomniał sobie czasy, kiedy nie wierzył w nic i uważał ich rytuały za zwykłe widowisko. Ale nawet wtedy rytuały odmieniały jego życie – okazały się rzeczywistością.

Czekał go Rytuał Unieważniający Rytuały. Wyjątkowy moment w życiu każdego maga.

„Nie nam, Panie, nie nam, lecz Twemu imieniu daj chwałę”, powtórzył dewizę po raz drugi. W jednej chwili wziął na siebie rolę przydzieloną mu przez Walhallę. Rytuał Unieważniający Rytuały zaczynał się. Na całym świecie nie było nic ważniejszego od otwierającej się przed nim nieznanej drogi, od wystraszonej dziewczyny leżącej u jego stóp i od tajemnicy, którą musiał z niej wydrzeć. Obchodził wkoło swoją ofiarę. Wspominał czasy, kiedy panowała inna moralność, kiedy posiąść zdobytą w walce kobietę było wpisane w kodeks praw wojennych. Dlatego mężczyźni narażali życie i wyruszali do boju: żeby zdobyć bogactwo i kobiety.

– Zwyciężyłem! – krzyknął do dziewczyny. – A ty przegrałaś!

Przyklęknął i szarpiąc ją za włosy uniósł jej głowę.

– To my zwyciężyłyśmy – odparła hardo dziewczyna. – Poznałyśmy prawa zwycięstwa.

Odepchnął ją gwałtownie.

– Prawo zwycięstwa należy się zwycięzcy.

– Wydaje się wam, że zwyciężyliście – ciągnęła niewolnica. – Wygraliście tylko jedną bitwę. My odniesiemy ostateczne zwycięstwo.

Kim była ta dziewczyna, która ośmielała się mu sprzeciwić?

Była bardzo zgrabna – ale to mogło poczekać. Najpierw musi z niej wydobyć tajemnicę, której od dawna poszukuje.

– Naucz mnie, jak zobaczyć anioła – rozkazał, usiłując zachować spokój – a dam ci wolność.

– Jestem wolna.

– Nie. Nie znasz praw zwycięstwa – wycedził. – Dlatego zostałyście pokonane.

Kobieta wydawała się zbita z tropu.

– Opowiedz mi o tych prawach – poprosiła – a zdradzę ci tajemnicę anioła.

Niewolnica targuje się? Mógł uciec się do tortur, mógł ją zniszczyć. Leżała bezbronna u jego stóp, a mimo to targowała się. Nie boi się tortur. Może lepiej zgodzić się na wymianę? Wyjawi jej pięć praw zwycięstwa – przecież i tak nie wyjdzie z tego żywa.

– Prawo Moralne: należy walczyć po właściwej stronie, dlatego zwyciężyliśmy. Prawo Czasu: wojna w deszczu jest inna niż wojna w słońcu, bitwa w zimie różni się od bitwy latem.

Mógł ją oszukać, ale nie przychodziło mu do głowy żadne poręczne kłamstwo. Zresztą zauważyłaby jego wahanie.

– Prawo Przestrzeni – ciągnął. – Wojna w kanionie różni się od wojny w otwartym polu. Prawo Wyboru: wojownik wie, czyich rad posłuchać i umie wybrać tego, z kim chce walczyć ramię w ramię. Wódz nie powinien się otaczać tchórzami i zdrajcami.

Przez moment zawahał się, czy powinien kontynuować. Wyjawił już cztery prawa.

– Prawo Strategii – rzekł w końcu – sposób, w jaki planuje się bitwę.

To było wszystko. Oczy dziewczyny zalśniły intensywnym blaskiem.

– Teraz opowiedz mi o aniołach.

Wpatrywała się w niego bez słowa. Poznała magiczną formułę, choć zbyt późno. Ci dzielni wojownicy nigdy nie przegrywali. Legenda mówi, że posługiwali się pięcioma prawami zwycięstwa. Ona właśnie je poznała.

Chociaż na nic się jej już ta wiedza nie przyda, poznała je i mogła umrzeć w pokoju. Zasługiwała na karę, którą jej wymierzą.

– Mów mi o aniołach – powtórzył gniewnym głosem.

– Nie powiem o aniołach ani słowa.

Zauważyła zmianę w jego spojrzeniu. Ucieszyła się.

Nie będzie miał litości. Najbardziej bała się tego, że górę w nim weźmie Prawo Moralne i wojownik daruje jej życie. Nie zasługiwała na to. Była winna – na sumieniu miała dziesiątki, setki grzechów popełnionych w jej krótkim życiu. Zawiodła rodziców, zawiodła wszystkich mężczyzn, którzy się do niej zbliżali. Wreszcie zawiodła wojowniczki, które biły się u jej boku. Dała się pojmać. Była zbyt słaba. Zasługuje na surową karę.

– Nienawiść! – z daleka dobiegł kobiecy głos. – Sensem tego rytuału jest nienawiść!

– Umawialiśmy się na wymianę – podjął wojownik głosem zimnym jak stal. – Dotrzymałem danego słowo.

– Nie wypuścisz mnie stąd żywej – powiedziała słabym głosem. – Przynajmniej dowiedziałam się, czego chciałam. Nawet jeżeli na nic mi się już nie przyda.

– Nienawiść! – odległy głos zaczynał na niego działać. Pozwalał najgorszym uczuciom wypłynąć na powierzchnię. Nienawiść wzbierała w jego sercu.

– Będziesz cierpiała jak nikt inny wcześniej – syknął.

– Będę cierpiała.

„Zasłużyłam na to”, pomyślała. Zasługiwała na ból, na karę, na śmierć. Od dziecka bała się walczyć: uważała, że nie potrafi. Przyjmowała razy od innych i w milczeniu znosiła niesprawiedliwe traktowanie. Chciała, żeby każdy wiedział, że jest dobra, wrażliwa, skora do pomocy. Za wszelką cenę chciała być lubiana. Bóg jej podarował piękne życie, a ona z niego nie skorzystała. Żebrała o miłość żyjąc życiem, które inni dla niej zaplanowali. Wszystko po to, żeby pokazać, jaka jest dobra.

Nieuczciwie postąpiła wobec Boga, zmarnowała własne życie. Dlatego potrzebowała teraz kata, który ją szybko pośle na samo dno piekła.

Wojownik poczuł, jak pas w jego ręku odzyskuje własne życie. Przez krótką chwilę jego wzrok napotkał spojrzenie niewolnicy.

Czekał, aż zmieni zdanie, aż poprosi go o przebaczenie. Nic z tego – dziewczyna kuliła się cała w oczekiwaniu na razy.

Prawo Moralne? Nagle zniknęło, ustępując miejsca dzikiej wściekłości, bo dał się oszukać swojej brance. Nienawiść przychodziła falami, a on po raz pierwszy w życiu poczuł, że jest zdolny do okrucieństwa. Wciąż popełniał ten sam błąd, wciąż się cofał przed wymierzeniem sprawiedliwości. Wciąż wybaczał – nie dlatego, że był dobry, ale dlatego, że był tchórzem i bał się przekroczyć granicę.

Walhalla spojrzała na Chris. Chris odpowiedziała spojrzeniem. W ciemności nie mogły zajrzeć sobie w oczy i tak było dobrze. Obie bały się okazać, co czuły.

– Na miłość boską! – kobieta krzyknęła, zanim pas zdążył smagnąć jej ciało.

Ramię wojownika zastygło.

Nieprzyjaciel nadchodzi z odsieczą.

– Dość! – zawołała Walhalla. – Wystarczy!

Oczy Paula były szklane, nieruchome. Złapał Walhallę za ramiona.

– Czuję wielką nienawiść! – krzyczał. – Nie udaję! Uwolniłem demony, których przedtem nie znałem!

Walhalla wyjęła mu pas z dłoni. Podeszła do Rothy. Dziewczyna siedziała w kucki. Płakała z twarzą ukrytą między kolanami.

– To wszystko prawda – szlochała, obejmując Walhallę. – Sprowokowałam go. Chciałam, żeby wymierzył mi karę. Pragnęłam, żeby zadał mi śmierć. Moi rodzice mieli do mnie pretensje, moje rodzeństwo miało do mnie pretensje. Wszystko w życiu robię nie tak.

– Przebierz się! – rozkazała Walhalla.

Rotha podniosła się i poprawiła rozerwaną bluzkę.

– Nie chcę – odpowiedziała hardo.

Walhalla zastanowiła się przez chwilę, ale nie powiedziała ani słowa. Podeszła do ściany kanionu i zaczęła się wspinać. Na szczycie dołączyła do trzech innych Walkirii. Machnęła ręką na znak, że mają za nią podążyć.

Chris, Rotha i Paulo wspinali się w milczeniu. Księżyc oświetlał im drogę, każdy występ skalny. Szybko dotarli na szczyt. Widok z góry robił wrażenie. Rozległa równina poprzecinana wąwozami.

Walhalla poprosiła, żeby Paulo i Rotha zbliżyli się do siebie, stanęli twarzą w twarz, objęli się.

– Skrzywdziłem cię? – zapytał dziewczynę. Czuł się okropnie. Był potworem.

Rotha pokręciła przecząco głową. Było jej wstyd – nigdy nie stanie się taką kobietą, jak pozostałe Walkirie, jest zbyt słaba.

Walhalla związała dwie chusty i opasała nimi mężczyznę i kobietę. Ze swego miejsca Chris dostrzegła, że księżyc tworzy coś na kształt aureoli wokół głów Paula i Rothy. Byłaby to przepiękna, romantyczna scena, gdyby nie to wszystko, co się tu wydarzyło, gdyby ten mężczyzna i ta kobieta nie byli sobie tacy bliscy i tacy dalecy zarazem.

◎

– Nie zasłużyłam na to, żeby zobaczyć mojego anioła – zaczęła Walkiria cichym głosem. – Jestem słaba i bardzo się tego wstydzę.

– Nie zasłużyłem na to, żeby zobaczyć mojego anioła – powtórzył Paulo głośno, tak żeby wszyscy go usłyszeli. – W moim sercu gości nienawiść.

– Kochałam wielu, ale wzgardziłam prawdziwą miłością – oznajmiła Rotha.

– Przez wiele lat trwałem w nienawiści i mściłem się za nieistotne sprawy – ciągnął Paulo. – Moi przyjaciele wielkodusznie mi wybaczali, ale sam nie potrafiłem nikomu przebaczyć.

Walhalla zwróciła się twarzą do księżyca.

– Stoimy tu, archaniele. Niech się spełni wola Pana. Naszym przeznaczeniem jest nienawiść, strach, poniżenie i wstyd. Niech się spełni wola Pana. Archaniele! Nie wystarczyło zatrzasnąć bramy Raju? Dlaczego musimy jeszcze nosić piekło w naszych duszach? Lecz jeżeli taka jest wola Pana, wiedz, że wypełnia ją cała ludzkość przez wszystkie pokolenia.

Wypowiedziawszy te słowa Walhalla zaczęła chodzić wokół stojącej pośrodku pary.

Oto Prefacja i pozdrowienie.

Niech będzie pochwalony Pan Nasz Jezus Chrystus, na wieki wieków.

Zwracają się do Ciebie grzeszni wojownicy.

Ci, którzy zawsze używają najlepszej broni przeciwko samym sobie.

Ci, co się uważają za niegodnych błogosławieństwa. Ci, co są przekonani, że nie urodzili się po to, aby zaznać szczęścia. Ci, co się czują gorsi od innych.

Zwracają się do Ciebie ci, którzy doszli do bram wolności, spojrzeli na Raj i zdecydowali: „To nie dla nas, nie wolno nam wejść, nie zasługujemy na to".

Zwracają się do Ciebie ci, których osądzili bliźni, którzy w końcu uwierzyli, że większość zawsze ma rację.

Zwracają się do Ciebie ci, którzy osądzili i skazali samych siebie.

◎

Jedna z Walkirii podała Walhalli bat. Ta uniosła go ku niebu.

Pierwszy żywioł: powietrze.

Oto bat. Ukarz nas, jeżeli tacy właśnie jesteśmy.

Smagaj, ponieważ jesteśmy inni – mamy odwagę, by marzyć i wierzyć w rzeczy, w które nikt już nie wierzy.

Smagaj, ponieważ odważyliśmy się sprzeciwić wszystkiemu, co istnieje i jest powszechnie zaakceptowane, czego nikt nie chce zmieniać.

Smagaj, ponieważ głosimy Wiarę, a brakuje nam nadziei. Mówimy o miłości, a nie otrzymujemy ani czułości, ani pocieszenia, do których mamy prawo. Opowiadamy o wolności, a jesteśmy więźniami własnych grzechów.

Choćby jednak udało mi się podnieść ten bat aż do gwiazd, nie napotkałby Twojej dłoni.

Ponieważ swoją dłonią głaszczesz nas po głowie i słodko do nas mówisz: „Nie będziecie już cierpieli. Wystarczy to, co ja wycierpiałem. Ja także marzyłem i wierzyłem w nowy, lepszy świat. Mówiłem o miłości, a sam prosiłem Ojca, by oddalił mój kielich. Sprzeciwiałem się wszystkiemu, co istniało, a czego nikt nie chciał zmienić. Wydawało mi się, że popełniam błąd, kiedy sprawiłem pierwszy cud i przemieniłem wodę w wino tylko po to, żeby dać radość gościom weselnym. Poczułem na sobie oko bliźniego i krzyczałem: Boże mój, Boże mój, czemuś Mnie opuścił? Smagano mnie biczem. Wy nie musicie już cierpieć".

◎

Walhalla cisnęła bat na ziemię, podniosła garść piasku i rzuciła go na wiatr.

Drugi żywioł: ziemia

Należymy do tego świata, Panie. A on pełen jest naszego lęku.

Zapisujemy nasze grzechy na piasku, a wiatr pustyni roznosi je na cztery strony świata.

Wzmocnij nasze ramiona, spraw, byśmy nie przestawali walczyć nawet wtedy, gdy czujemy się niegodnymi wojownikami.

Wykorzystaj nasze życie, podsycaj w nas marzenia. Powstaliśmy z prochu Ziemi i sami stanowimy jej część. Wszystko jest jednością.

Ucz nas i posługuj się nami. Na zawsze oddajemy się w Twoje ręce.

Całe Prawo zostało sprowadzone do jednego przykazania: „Będziesz miłował bliźniego swego jak siebie samego".

Kiedy kochamy, zmieniamy świat. Światło miłości rozprasza mroki grzechu.

Umocnij nas w miłości. Spraw, byśmy przyjęli Bożą Miłość.

Pokaż nam, jak kochać samych siebie.

Każ nam szukać miłości bliźniego. Wbrew obawie przed odrzuceniem, przed surowym wzrokiem i twardymi słowami – spraw, byśmy nigdy nie rezygnowali z poszukiwania miłości.

◎

Jedna z Walkirii podała Walhalli pochodnię. Ta zapaliła ją zapalniczką i uniosła ku niebu.

Trzeci żywioł: ogień.

Powiedziałeś Panie: „Przyszedłem rzucić ogień na ziemię i jakże pragnę, żeby on już zapłonął".

Niech ogień miłości płonie w naszych sercach.

Niech ogień przemiany płonie w naszych czynach.

Niech ogień oczyszczający spali nasze grzechy.

Niech ogień sprawiedliwości prowadzi nasze kroki.

Niech ogień mądrości rozświetla naszą drogę.

Niech ogień, który rzuciłeś na ziemię, nigdy już nie zgaśnie. Ponownie jest z nami i my niesiemy go ze sobą.

Poprzednie pokolenia zostawiały swoje grzechy w spadku następnym pokoleniem. Tak działo się aż do pokolenia naszych ojców.

My jednak następnym pokoleniom przekażemy Twój ogień.

Jesteśmy wojownikami i wojowniczkami Światła i nosimy Twój ogień z dumą.

Zapalone po raz pierwszy światło pokazało nam nasze słabości i grzechy. Staliśmy zaskoczeni, wystraszeni, poczuliśmy się niezdatni do wypełnienia zadania.

Ale to był ogień miłości. Kiedy go przyjęliśmy, strawił w nas to co złe.

Pokazał nam, że nie jesteśmy ani lepsi, ani gorsi od tych, co na nas kierują groźne, surowe spojrzenia.

Właśnie dlatego przyjęliśmy przebaczenie. Grzech już nie istnieje i wolno nam wrócić do Raju. Zabierzemy ze sobą ogień, który zapłonie na ziemi.

◎

Walhalla umieściła pochodnię w skalnej szczelinie. Otworzyła swój bidon i wylała trochę wody na głowy Paula i Rothy.

Czwarty żywioł: woda.

Powiedziałeś: „Kto zaś będzie pił wodę, którą Ja mu dam, nie będzie pragnął na wieki".

Pijemy tę wodę. Obmywamy grzechy z miłości do przemiany, która poruszy posadami świata.

Wsłuchujemy się w to, co mówią anioły. Stajemy się ich posłańcami.

Będziemy walczyli używając najlepszej broni i najszybszych rumaków.

Bramy zostały otwarte. Jesteśmy godni, by je przekroczyć i wejść do Raju.

Panie Jezu Chryste, Ty powiedziałeś swoim Apostołom: „Pokój wam zostawiam, pokój mój wam daję". Prosimy Cię, nie zważaj na grzechy nasze, lecz na wiarę swojego zgromadzenia.

Chris poznała ten fragment. Był bardzo podobny do używanego w liturgii katolickiej.

– Baranku Boży, który gładzisz grzechy świata, zmiłuj się nad nami – kończyła Walhalla, rozwiązując kolorowe chusty, które oplatały ich dwoje.

– Jesteście wolni.

Wtedy zbliżyła się do Paula.

◎

„Uwaga! Żmija szykuje się do ataku", pomyślała Chris. „Zaraz uderzy. On jest nagrodą, a ona jest w nim zakochana. Jeżeli mu wyjaśni, czego żąda w zamian, on zapłaci z ochotą. A ja nie będę miała nic do powiedzenia. Jestem tylko kobietą, nie znam się na prawach panujących w świecie aniołów. Żadne z nich obojga nie wie, że już wiele razy umierałam i wiele razy się rodziłam w piaskach tej pustyni. Nie wiedzą, że rozmawiam ze swoim aniołem, że moja dusza urosła. Wydaje im się, że wiedzą o mnie wszystko: kim jestem, co myślę. Ja go kocham, a ona się tylko w nim durzy".

◎

– Załatwmy to między sobą, Walkirio! Rytuał Unieważniający Rytuały!

Wykrzyczane przez Chris słowa odbiły się echem po pustyni skąpanej w bladym świetle księżyca.

Walhalla oczekiwała tego krzyku. Przezwyciężyła poczucie winy. Wiedziała, że to, czego pragnie, nie jest zbrodnią. Jest po prostu kaprysem. Miała prawo do kaprysów, które, jak nauczył ją anioł, nie oddalają nikogo od Boga, ani od świętej misji, którą każdy ma w życiu do wypełnienia.

Przypomniała sobie pierwsze spotkanie z Chris w przydrożnym barze. Przez całe jej ciało przebiegł wtedy zimny dreszcz. Opanowały ją dziwne przeczucia, których wtedy nie rozumiała. „Ona musiała poczuć dokładnie to samo", pomyślała.

Jeżeli chodzi o Paula, jej misja właśnie się skończyła. Odebrała sowitą zapłatę, chociaż Paulo nie zdawał sobie z tego sprawy. Podczas spacerów po pustyni nauczyła się od niego różnych rytuałów znanych tylko J. i jego uczniom. Paulo wyjawił jej wszystko.

Pragnęła tego mężczyzny. Nie z powodu tego, kim był, ale ze względu na to, co wiedział. Po prostu jeszcze jeden kaprys. Anioł wybaczał jej kaprysy.

Spojrzała na Chris.

„To dziesiąta runda po pustyni. Muszę się zmienić. Ta kobieta jest narzędziem aniołów".

– Rytuał Unieważniający Rytuały! – zawołała Walkiria nie spuszczając wzroku z Chris. – Niech Bóg ześle aktorów!

Chris przyjęła wyzwanie. Nadszedł dla niej czas wzrastania.

Obie kobiety krążyły po obwodzie wyimaginowanego kręgu. Przypominały szykujących się do pojedynku kowbojów. Panowała kompletna cisza. Wydawało się, że świat się zatrzymał.

Walkirie, kobiety nawykłe do walki o miłość, wiedziały doskonale, co się działo. A walczyły zawsze do końca, uciekając się do różnych sztuczek. Dla miłości były gotowe zrobić wszystko, bo miłość była dla nich sensem życia.

Powoli Chris wcielała się w nową postać – w czarnej skórze, z bandaną na głowie i medalionem z archaniołem Michałem na piersi. Stawała się silną kobietą, taką, jaką podziwiała i jaką chciała być. Stawała się Walhallą.

Chris skinęła głową i obie się zatrzymały. Walhalla poczuła się tak, jakby stała przed lustrem.

Patrząc na Chris, widziała siebie. Znała wszystkie wojenne sztuczki, a zapomniała o miłości. Poznała pięć praw zwycięstwa, przespała się z każdym mężczyzną, na którego miała ochotę, zapomniała jednak sztuki kochania.

Spojrzała na swoje lustrzane odbicie. Była dość silna, żeby zniszczyć. Czuła jednak, że sama stopniowo się przeobraża. Była silną kobietą, ale nienawykłą do takich pojedynków.

Przeobrażała się w zakochaną kobietę, idącą u boku swojego mężczyzny, w razie potrzeby niosącą jego oręż, broniącą go od wszelkiego zła. Była kobietą silną, choć z pozoru wydawała się słaba. Kroczyła ścieżką miłości, ponieważ to jedyna droga prowadząca do mądrości. Na tej drodze tajemnice objawiają się przez Oddanie i Przebaczenie.

Walhalla wcieliła się w Chris.

A Chris przeglądała się w Walhalli jak w lustrze.

Wolnym krokiem zbliżyła się do krawędzi przepaści. Walhalla stanęła obok niej. Upadek z tej wysokości to pewna śmierć. Były jednak kobietami, a kobiety gotowe są na wszystko.

Dziesięć metrów dzieliło je od dna przepaści, a tysiące kilometrów od świecącego nad nimi księżyca.

– To mój mężczyzna. Zostaw go w spokoju. Dla ciebie to tylko kaprys. Nie kochasz go – rzekła Chris.

Walhalla milczała.

– Zrobię jeszcze jeden krok w przód – ciągnęła Chris. – Przeżyję. Jestem odważna.

– Pójdę za tobą – odpowiedziała Walhalla.

– Nie rób tego. Poznałaś już, co to miłość. Będziesz potrzebowała całego życia, żeby zrozumieć jej ogrom.

– Nie skoczę, jeżeli ty nie skoczysz. Poznałaś swoją siłę. Twój horyzont wzbogacił się o góry, doliny i pustynie. Masz wielką duszę, która nie przestaje rosnąć. Odkryłaś, co to odwaga. Wystarczy.

– Wystarczy, jeżeli to, czego nauczyłaś się ode mnie, przyjmiesz jako zapłatę za nauki udzielone mojemu mężowi.

Nastała długa chwila ciszy. Nagle Walkiria podeszła do Chris i... pocałowała ją.

– Przyjmuję i dziękuję za wszystko, czego mnie nauczyłaś.

Chris odpięła zegarek i zdjęła go z przegubu ręki. Nie miała nic innego do podarowania.

– Ja też dziękuję za to, czego mnie nauczyłaś – powiedziała. – Poznałam swoją siłę. Nigdy bym jej w sobie nie odkryła, gdybym nie spotkała na swojej drodze pięknej, silnej kobiety.

Z czułością założyła zegarek na rękę Walhalli.

Nad Doliną Śmierci wschodziło słońce. Walkirie wiązały kolorowe chusty, zasłaniające twarze przed pustynnym pyłem. Jedynie oczy zostawiały odkryte.

Walhalla podeszła do Paula i Chris.

– Dalej nie możecie podróżować z nami. Sam musisz spotkać swojego anioła.

– Wciąż mi brakuje jednego ogniwa – odpowiedział Paulo. – Zakładu.

– Zakłady i pakty to sprawa aniołów. Albo demonów.

– Wciąż nie wiem, jak zobaczyć anioła – nalegał.

– Zerwałeś pakt i przyjąłeś przebaczenie. Twój anioł cię znajdzie i zaproponuje zakład.

Zaryczały silniki. Walhalla przysłoniła twarz chustką, wskoczyła na motor i spojrzała na Chris.

– Część mnie na zawsze pozostanie w tobie – Chris odezwała się pierwsza. – Część ciebie na zawsze pozostanie we mnie.

Walhalla zdjęła skórzaną rękawicę i rzuciła ją w stronę Chris. Włączyła silnik i odjechały, wzniecając za sobą ogromny tuman kurzu.

Mężczyzna i kobieta przemierzali pustynię. Czasem zatrzymywali się w wielkim mieście, a czasem w maleńkiej mieścinie z jednym motelem, jedną restauracją i jedną stacją benzynową. Z nikim nie rozmawiali. Wieczorami wychodzili na pustynię, wędrowali wśród skał przez wąwozy, przysiadali gdzieś z twarzami zwróconymi w tę stronę, gdzie wzejdzie pierwsza gwiazda i rozmawiali ze swoimi aniołami.

Słyszeli głosy, mieli dziwne przeczucia. Dzielili się ze sobą spostrzeżeniami. Przypominali sobie rzeczy, o których do tej pory nie pamiętali.

Ona ćwiczyła channeling, czuła, jak jej anioł ją chroni i udziela jej mądrości i wpatrywała się w tarczę zachodzącego słońca.

On siedział i czekał na objawienia swojego anioła. Zrobił wszystko zgodnie z rytuałem. Teraz pozostało mu tylko czekać.

Czekał godzinę, dwie, trzy. Podnosił się dopiero wtedy, kiedy robiło się zupełnie ciemno. Wracali do miasta.

Jedli kolację i szli do hotelu. Ona udawała, że śpi. On wpatrywał się w ciemność.

Wstawała w środku nocy, podchodziła do niego i prosiła, żeby się wreszcie położył. Tłumaczyła, że boi się, bo miała zły sen. On kładł się obok niej. Leżał bez ruchu.

– Rozmawiasz ze swoim aniołem – mówił. – Słyszałem, jak coś mówisz w czasie channelingu. O rzeczach, o których zwykle nie mówisz, słowami pełnymi prawdziwej mądrości. Twój anioł jest już obecny.

Kładł rękę na jej włosach i dalej leżał bez ruchu. Pytała samą siebie, czy jego smutek spowodowany był jedynie brakiem anioła, czy też winę ponosi kobieta, która odeszła i której nigdy już nie mieli zobaczyć.

Ale jemu nigdy tego pytania nie zadała.

◎

Oczywiście Paulo rozmyślał o kobiecie, która odeszła, ale nie ona była powodem jego smutku. Czas uciekał nieubłaganie. Wkrótce wrócą do domu. Tam spotka się z człowiekiem, który nauczył go wierzyć w anioły.

„Ten człowiek powie mi, że to, co zrobiłem, zupełnie wystarczy. Zerwałem pakt, który należało zerwać, przyjąłem przebaczenie, co powinienem zrobić dawno temu. Oczywiście, dalej będzie mi wskazywał drogę mądrości i miłości. Każdego dnia będę bliżej mojego anioła, będę z nim rozmawiał, dziękował za opiekę, prosił o pomoc. Ten człowiek będzie powtarzać, że to wystarczy".

Od samego początku J. mówił mu o istnieniu granic. Należało próbować dojść jak najdalej, ale czasami trzeba z pokorą przyjąć do wiadomości, że istnieją tajemnice niezgłębione. Trzeba zrozumieć, że każdy ma inny dar. Jedni potrafią uzdrawiać, inni posiedli dar słowa i mądrości, jeszcze inni obcują z duchami. Suma tych darów pokazuje wielkość i chwałę Boga, dla którego człowiek jest jedynie narzędziem. Bramy Raju otwierają się przed tymi, którzy zdecydują się wejść. Świat znajduje się w rękach tych, którym nie brak odwagi, żeby spełniać swoje marzenia.

Każdy ma jakiś talent. Każdy ma jakiś dar.

◎

Nic jednak nie było w stanie ukoić jego smutku. Wiedział, że Took widział swojego anioła, podobnie jak Walhalla. Wielu napisało książki, opowiadania, relacje o swoich spotkaniach z aniołami.

A on nie był w stanie zobaczyć swojego.

Za sześć dni opuszczą pustynię. Zatrzymali się na rynku miasteczka Ajo, zamieszkałego głównie przez ludzi w podeszłym wieku. Miasteczko pamiętało lepsze czasy – kiedyś miejscowa kopalnia rudy żelaza dawała im pracę, dobrze zarabiali, mieli nadzieję na wspaniałą przyszłość. Z nikomu nieznanych powodów kompania górnicza zamknęła kopalnię, a domy odsprzedała dawnym robotnikom.

– Nasze dzieci wyjechały za chlebem – opowiadała stara kobieta, która przysiadła się w barze do ich stolika. – Zostali sami starcy. Kiedy umrze ostatni z nas, miasto zniknie z mapy świata. Z tego, co tu zbudowaliśmy, nie zostanie kamień na kamieniu.

Od dawna nikt obcy nie zaglądał do miasteczka. Staruszka cieszyła się, że może sobie z kimś pogawędzić.

– Człowiek stara się, buduje i ma nadzieję, że robi coś ważnego – ciągnęła kobieta. – I nagle z dnia na dzień dowiaduje się, że za wiele oczekiwał, za wiele sobie wyobrażał. I co wtedy? Pakuje kilka rzeczy do walizki, rzuca wszystko i jedzie w nieznane. Nie zdaje sobie sprawy, że swoim entuzjazmem kiedyś zaraził innych, często dużo słabszych od siebie, którym brak siły, żeby iść dalej. Ci zostają. Jak samo miasto, stają się duchami pustyni.

„Coś mi mówi, że postępuję dokładnie tak samo", pomyślał Paulo. „Sam pakuję się w różne sytuacje i sam siebie skazuję na fiasko".

Przypomniał sobie tresera słoni, który tłumaczył mu, co należy zrobić, żeby nauczyć te zwierzęta niewolniczego posłuszeństwa. Młodego słonia przywiązuje się do pnia drzewa. Zwierzę próbuje zerwać pęta i uwolnić się, ale jest na to jeszcze zbyt słabe. Całe dzieciństwo schodzi mu na próbach uwolnienia się, aż w końcu zaczyna wierzyć, że kawałek drewna jest silniejszy niż ono. Przyzwyczaja się wtedy do niewolnictwa. Wystarczy, że treser przywiąże dorosłe zwierzę do byle gałązki, a słoniowi odchodzi ochota do ucieczki. Najgorszym więzieniem jest przeszłość.

Dzień wydawał się nie mieć końca. Słońce paliło niemiłosiernie, ziemia płonęła. Musieli cierpliwie czekać, aż kolory pustyni z jaskrawego złota przejdą się w odcienie różu. Wtedy dopiero będą mogli opuścić klimatyzowane wnętrza, wyjechać z miasta, praktykować channeling i próbować zobaczyć anioła.

– Ktoś kiedyś powiedział, że tego, co daje ziemia, starcza na zaspokojenie potrzeb, ale nie na zaspokojenie ludzkiej chciwości – ciągnęła kobieta.

– Czy pani wierzy w anioły? – zapytał Paulo.

Kobietę zdziwiło to pytanie, ale tylko to interesowało Paula.

– Kiedy człowiek jest stary, a śmierć jest blisko, zaczyna wierzyć w cokolwiek – odpowiedziała. – Nie wiem jednak czy wierzę w anioły.

– Istnieją.

– Widziałeś jakiegoś anioła? – spytała z niedowierzaniem i nadzieją w głosie.

– Rozmawiam ze swoim aniołem stróżem.

– A skrzydła ma?

Wszyscy pytają o to samo. O to zapomniał zapytać Walhallę.

– Jeszcze nie wiem. Nigdy go nie widziałem.

Przez chwilę staruszka wahała się, czy nie wstać od stolika i nie odejść. Samotność pustyni potrafi człowiekowi odebrać rozum. Albo może ten człowiek po prostu sobie żartuje dla zabicia czasu.

Chciała zapytać, skąd przyjechali i co robią w Ajo, bo ich dziwny akcent niewiele zdradzał.

„Może są z Meksyku?", zastanawiała się. Nie wyglądali jednak na Meksykańczyków. Postanowiła zapytać przy pierwszej okazji.

– Chyba się ze mnie nabijacie – stwierdziła po chwili namysłu. – Nie zostało mi dużo czasu. Pięć, dziesięć, najwyżej dwadzieścia lat. W każdym razie w moim wieku człowiek zdaje sobie sprawę, że życie nie trwa wiecznie i że kiedyś umrze.

– Ja też wiem, że kiedyś umrę – rzuciła Chris.

– Wiesz, ale nie w taki sam sposób jak starzec. Dla ciebie śmierć to coś odległego, co się spełni pewnego dnia. Dla nas starych śmierć to coś, co może się zdarzyć już jutro. Z tego powodu dla wielu starych ludzi jedynym zajęciem jest patrzenie w przeszłość. Nie dlatego, żeby tak bardzo tęsknili za tym, co przeżyli. Raczej dlatego, że myśląc o przeszłości nie znajdują tego, czego się najbardziej boją: śmierci. Niewielu starych ludzi patrzy w przyszłość. Ja należę do tych nielicznych. Kiedy patrzę w przyszłość, widzę, co mi ona niesie: śmierć.

Paulo milczał. W końcu każdy mag jest świadom nieuniknioności śmierci. Kobieta z pewnością opuściłaby ich stolik, gdyby wyznał, że jest magiem.

– Dlatego bardzo bym chciała uwierzyć, że mówicie na serio o istnieniu aniołów – ciągnęła.

– Śmierć jest aniołem – rzekł wreszcie Paulo. – Dwa razy widziałem anioła w tym wcieleniu. Wszystko zdarzyło się tak szybko, że nie zapamiętałem jego twarzy. Ale znam ludzi, którzy go widzieli. Znam też takich, których ten anioł odprowadził ze świata żyjących, a potem mi o nim opowiadali. Mówili, że ma piękną twarz i delikatne obejście.

Staruszka wlepiła oczy w Paula. Chciała mu wierzyć.

– A skrzydła ma?

– Jest cały ze światła – odpowiedział. – W chwili śmierci przyjmuje postać, którą najłatwiej rozpoznać.

Przez chwilę siedziała w milczeniu, potem podniosła się od stołu.

– Już się nie boję. Modliłam się przed chwilą i prosiłam, żeby anioł śmierci miał skrzydła w dniu, kiedy po mnie przyjdzie. W głębi serca czuję, że moja modlitwa została wysłuchana.

Ucałowała oboje w policzki. Pytanie, skąd przyjechali, nie miało już sensu.

– Mój anioł was do mnie przysłał. Bardzo wam dziękuję.

Paulo przypomniał sobie, o czym mówił Took. Oni też stali się narzędziem w rękach anioła.

Na krótko przed zachodem słońca udali się na szczyt góry w pobliżu Ajo. Usiedli zwróceni na wschód i czekali. Z pierwszą gwiazdą mieli zacząć channeling.

Nazwali to oczekiwanie „kontemplowaniem anioła". Był to pierwszy stworzony przez nich rytuał po tym, jak Rytuał Obalający Rytuały zmiótł wszystkie inne.

– Nigdy cię nie zapytałam – odezwała się Chris – dlaczego tak bardzo chcesz zobaczyć swojego anioła?

– Zdążyłaś za to powiedzieć mi kilkakrotnie, że wcale cię to nie obchodzi – odparł z przekąsem.

– Ale ciebie obchodzi. Wyjaśnij mi proszę, dlaczego.

– Powiedziałem ci o wszystkim w dniu, kiedy poznaliśmy Walhallę – odpowiedział.

– Ty nie potrzebujesz cudu – nie dawała za wygraną. – Ty po prostu chcesz zaspokoić jakiś kaprys.

– W świecie duchowym kaprysy nie mają racji bytu. Możesz w to wierzyć albo nie.

– No właśnie. Przecież akceptujesz ten swój świat takim, jaki jest. Czy może wszystko, co mówisz, to jedno wielkie kłamstwo?

„Pewnie ma na myśli to, o czym opowiadałem w opuszczonej kopalni", pomyślał Paulo. „Trudno to wyjaśnić, ale muszę spróbować".

– Nieraz byłem świadkiem cudów – zaczął. – Kilka przeżyliśmy razem. Widzieliśmy jak J. rozpędza chmury, napełnia ciemność światłem, przesuwa przedmioty siłą woli. Sama byłaś świadkiem, jak odgadywałem cudze myśli, rozkazywałem wiatrowi, praktykowałem rytuały mocy. Magia obecna jest w moim życiu przez cały czas: czasem powoduje zło, czasem dobro. Nie wątpię w to nawet przez chwilę.

– Ale nawet my przyzwyczajamy się do cudów – ciągnął po chwili. – Potrzebujemy ciągle czegoś nowego. Wiarę trudno zyskać, a potem potrzeba codziennej walki, żeby jej nie utracić.

Za chwilę wzejdzie pierwsza gwiazda, a tyle jest jeszcze do wyjaśnienia.

– Tak samo dzieje się w naszym małżeństwie – przerwała mu Chris. – A ja jestem już na skraju wytrzymałości.

– Nie zrozumiałaś mnie. Mówię o świecie duchowym.

– Rozumiem, co do mnie mówisz, ponieważ wiem, jak bardzo mnie kochasz – odpowiedziała. – Od dawna jesteśmy razem. Po dwóch pierwszych latach miłości i radości każdy następny dzień stał się dla mnie wyzwaniem. Czasami trudno podsycać ogień miłości.

Żałowała, że to powiedziała, ale skoro zaczęła, należało iść do końca.

– Opowiadałeś mi kiedyś, że ludzie dzielą się na ogrodników kochających ziemię i zbiory, i na myśliwych kochających mroczne bory i trudne zdobycze. Mówiłeś, że jestem ogrodniczką, tak jak J. idę drogą kontemplacji, żeby poznawać prawdę. Powiedziałeś też, że poślubiłam myśliwego.

Słowa cisnęły się jej na usta, nie mogła ich powstrzymać. Bała się, że zanim skończy, rozbłyśnie pierwsza gwiazda.

– Jestem żoną myśliwego. Nie masz pojęcia, jak trudno było, jak trudno być twoją żoną! Jesteś jak Walhalla, jak Walkirie, które nigdy nie znajdują spokoju. Żyją silnymi emocjami polowań, ryzyka, ciemnych nocy spędzanych na tropieniu zdobyczy. Na początku sądziłam, że tego nie wytrzymam. Szukałam idealnego życia, jak każda zwykła kobieta, a związałam się z czarodziejem! Magiem, którego świat rządzi się niezrozumiałymi dla mnie prawami. Z człowiekiem, który wie, że żyje dopiero wtedy, gdy piętrzą się przed nim wyzwania nie do pokonania.

Spojrzała mu prosto w oczy.

– Czyż J. nie jest czarownikiem silniejszym od ciebie?

– Jest dużo mądrzejszy – odparł Paulo. – Przeżył dużo więcej i więcej doświadczył. Idzie drogą ogrodnika i z niej czerpie swoją siłę. Jeżeli o mnie chodzi, siłę odnaleźć mogę jedynie na drodze myśliwego.

– Dlaczego więc wybrał ciebie na swojego ucznia?

– Z tej samej przyczyny, dla której ty wybrałaś mnie – roześmiał się Paulo. – Ponieważ jesteśmy tak bardzo do siebie niepodobni.

– Walhalla, ty i wszyscy twoi przyjaciele myślicie tylko o Konspiracji. Nic innego się nie liczy. Macie bzika na punkcie zmian, nadchodzących nowych światów. Sama wierzę w nadejście nowego porządku świata, ale czy wciąż musi się to odbywać w ten sposób?

– W jaki sposób?

Zastanawiała się przez chwilę nad kolejnym słowem. Nie do końca wiedziała, po co powiedziała mu o tym wszystkim.

– No ta cała Konspiracja.

– Przecież to ty tak nazwałaś.

– Bo tak to funkcjonuje. Sam to przyznałeś.

– Mówiłem, że bramy Raju są otwarte jeszcze przez pewien czas dla każdego, kto chce wejść do środka. Ale mówiłem też, że każdy ma własną drogę i tylko anioły wiedzą, jaki kierunek należy wybrać.

„Dlaczego to robię? Co się ze mną dzieje?", myślała Chris. Przypomniała sobie widziane w dzieciństwie obrazki: anioł prowadzący dziecko na krawędzi przepaści. Dziwiła się własnym słowom. Kłóciła się z nim regularnie, ale nigdy nie wypowiadała się o magii w taki sposób.

W ciągu czterdziestu dni spędzonych na pustyni jej dusza urosła, odkryła w sobie drugi umysł, starła się z silną kobietą. Umierała na pustyni wiele razy, a potem odradzała się, za każdym razem silniejsza.

„Poczułam rozkosz polowania".

Oczywiście. To właśnie to uczucie tak ją zdezorientowało. Od dnia, kiedy wyzwała Walhallę na pojedynek, miała poczucie, że zmarnowała dużą część życia.

„Nie chcę w to wierzyć, nie mogę! Znam J., jest ogrodnikiem i osobą oświeconą. Rozmawiałam z moim aniołem na długo przed Paulem. Potrafię się z nim porozumieć równie dobrze, jak Walhalla. Czasami tylko wydaje mi się, że używa niezrozumiałego języka".

Była niespokojna. Czyżby popełniła błąd wybierając swój sposób na życie?

„Nie mogę przestać mówić", przemknęło jej przez myśl. „Muszę przekonać samą siebie, że nie popełniłam błędu".

– Potrzebujesz kolejnego cudu, a potem jeszcze jednego – ciągnęła. – Nigdy nie będziesz miał dosyć! Nigdy też nie zrozumiesz, że królestwa niebieskiego siłą nie zdobędziesz.

„Spraw, Boże, żeby ukazał mu się anioł. To dla niego takie ważne! Spraw, żebym nie miała racji!".

– Nie dopuszczasz mnie do głosu – przerwał jej Paulo.

W tej właśnie chwili na niebie pojawiła się pierwsza gwiazda.

Przyszedł czas na channeling.

◎

Po krótkiej relaksacji skoncentrowali się na drugim umyśle. Chris nie przestawała myśleć o ostatnim zdaniu wypowiedzianym przez Paula. Rzeczywiście, nie dopuściła go do głosu.

Teraz było za późno. Czekała, aż drugi umysł wyleje z siebie wszystkie nudne problemy, powtórzy wielokrotnie te same skargi. Tego wieczoru podświadomość starała się ją zranić w samo serce. Podpowiadała, że wybrała złą drogę, a swoje przeznaczenie odkryła dopiero wtedy, kiedy wcieliła się w Walhallę.

Drugi umysł powtarzał, że jest już za późno na zmianę. Zmarnowała pół życia i spędzi drugą połowę wlokąc się za swoim mężem. Nigdy nie doświadczy rozkoszy łowów.

Wybrałaś niewłaściwego partnera życiowego, mówiła jej podświadomość. Lepiej byś zrobiła, gdybyś wyszła za ogrodnika. Wiesz przecież, że w trakcie małżeństwa Paulo miał inne kobiety. One także były myśliwymi. Spotykali się przy pełni księżyca na magiczne rytuały. Zostaw Paula i pozwól mu zaznać szczęścia z kobietą podobną do niego.

Chris oponowała – że obecność innych kobiet w życiu Paula nie robi na niej żadnego wrażenia, że nigdy go nie opuści, bo miłość nie kieruje się logiką ani racjonalnymi przesłankami.

Drugi umysł wciąż atakował, aż wreszcie zmęczył się i dialog ustał.

Wtedy coś na kształt mgły przyćmiło jej umysł. Zaczynał się channeling. Ogarnęło ją uczucie bezgranicznego spokoju, jak gdyby jej anioł otulił skrzydłami całą pustynię, żeby nie przytrafiło się jej nic złego. Odczuwała intensywną miłość do siebie samej i do całego Wszechświata.

Miała szeroko otwarte oczy, żeby niczego nie przegapić. Nagle wokół niej zaczęły rosnąć katedry. Z gęstych mgieł wyłaniały się kościoły, których nigdy nie widziała, ale była absolutnie pewna, że istnieją gdzieś na kuli ziemskiej. Dawniej podczas channelingu słyszała jedynie jakieś niezrozumiałe słowa, indiańskie śpiewy, fragmenty wypowiedzi, których nie rozumiała. Teraz anioł pokazywał jej katedry. To z pewnością coś znaczyło, ale nie wiedziała jeszcze co.

Dopiero zaczynali rozmawiać. Z każdym dniem coraz lepiej poznaje i rozumie swojego anioła. Wkrótce będzie porozumiewała się z nim jak z każdym, kto mówi jej językiem. To tylko kwestia czasu.

◎

Rozległo się pobrzękiwanie budzika zegarka Paula. Minęło dwadzieścia minut. Koniec channelingu.

Spojrzała na męża. Wiedziała, co się za chwilę stanie. Przez jakiś czas będzie milczał, smutny i zawiedziony. Anioł się nie pojawił. Wrócą do hotelu w Ajo. On pójdzie sam na spacer, a ona będzie udawać, że śpi.

Odczekała, aż wstanie. Też się podniosła. Spojrzała na niego z troską. Zamiast smutku w jego oczach dostrzegła dziwny błysk.

– Zobaczę anioła – powiedział zdecydowanym głosem. – Na pewno zobaczę. Zrobiłem zakład.

„Zakład zrobisz ze swoim aniołem", powiedziała Walhalla. Nie powiedziała: „Zakład zrobisz ze swoim aniołem wtedy, kiedy go zobaczysz". A on właśnie tak to zrozumiał. Czekał cały tydzień, żeby anioł się pojawił i zaproponował zakład. Był skłonny przyjąć każdy zakład, ponieważ anioł to światłość, a światłość uzasadnia nasze istnienie. Wierzył w światłość, tak jak czternaście lat wcześniej wątpił w ciemności. W przeciwieństwie do podstępnych ciemności, światłość zawczasu ustalała reguły gry, żeby ten, kto je akceptuje, świadomie brał na siebie obowiązek miłości i przebaczenia.

Spełnił dwa warunki i prawie zawiódł przy trzecim, tym najprostszym! Jednak jego anioł nie zawiódł i podczas channelingu... ach, jak to dobrze, że nauczył się rozmawiać z aniołami! Teraz był przekonany, że go zobaczy. Dopełnił bowiem trzeciego warunku.

– Zerwałem pakt. Przyjąłem przebaczenie. Dzisiaj zrobiłem zakład. Wierzę! – wykrzyczał. – Wierzę, że Walhalla wie, jak zobaczyć anioła!

Oczy mu błyszczały intensywną radością. Nie będzie dziś samotnego spaceru ani bezsennej nocy w hotelowym pokoju. Był absolutnie pewien, że zobaczy swojego anioła. Pół godziny wcześniej błagała o cud. Teraz nie miało to większego znaczenia.

Tym razem Chris spędzi bezsenną noc. Wyjdzie na spacer na puste ulice Ajo i będzie błagała o kolejny cud, ponieważ jej mąż za wszelką cenę musi ujrzeć anioła. Czuła, jak ścisnęło się jej serce. Jeszcze nigdy nie nosiło takiego ciężaru. Może wolałaby Paula wątpiącego, Paula potrzebującego cudu, Paula tracącego wiarę. Jeżeli anioł mu się ukaże, wszystko skończy się dobrze. Jeżeli nie, zawsze może zrzucić winę na Walhallę. Uniknie najbardziej gorzkiej lekcji, jaką Bóg dał człowiekowi zamykając bramy Raju: rozczarowania.

Tymczasem miała do czynienia z człowiekiem, który oddał w zakład własne życie, żeby udowodnić istnienie aniołów. A jego jedyną gwarancją były słowa jakiejś kobiety przemierzającej pustynię Mojave na motorze i głoszącej nadejście nowych światów.

Całkiem możliwe, że Walhalla nigdy nie widziała żadnego anioła. A może to, co sprawdziło się w jej przypadku, nie sprawdza się dla nikogo innego – Paulo wspomniał kiedyś o tym. Czyżby nie pamiętał własnych słów?

Chris z rosnącym niepokojem obserwowała męża.

Nagle twarz mu się rozjaśniła.

– Światłość! – krzyknął. – Światłość!

Odwróciła się. Na linii horyzontu niedaleko pierwszej gwiazdy pojawiły się trzy światełka.

– Światłość! – powtarzał jak zaczarowany. – To anioł!

Chris zapragnęła paść na kolana i dziękować Bogu, że wysłuchał jej modłów i posłał im zastęp aniołów.

Oczy Paula napełniły się łzami. Był świadkiem kolejnego cudu. Zrobił właściwy zakład.

Usłyszeli huk: jeden po lewej stronie, drugi nad głowami. Teraz widzieli pięć, nie... sześć świateł na niebie. Całą pustynię rozświetlał intensywny blask.

Przez chwilę nie mogła wykrztusić słowa: ona także widziała anioła! Huk się nasilał, po prawej stronie, po lewej, nad ich głowami. Nie dochodził jednak z góry, ale podnosił się z dołu i z boku, i wznosił ku niebu.

Walkirie! Prawdziwe Walkirie, córki Odyna, galopowały po niebie niosąc ze sobą wojowników. Ze strachu zatkała sobie uszy.

Zauważyła, że Paulo zrobił to samo. Jego oczy nie lśniły już niedawnym blaskiem.

Ogromne kule ognia wzniosły się na horyzoncie. Czuli, jak pustynia drży pod ich stopami. Grzmoty wypełniły niebo i ziemię.

– Uciekajmy! – poprosiła.

– Nie ma powodu – odpowiedział. – Są bardzo daleko. To samoloty wojskowe.

Ponaddźwiękowe myśliwce przekraczały barierę dźwięku tuż nad ich głowami. Panował piekielny hałas.

Padli sobie w objęcia. Przez długi czas stali przytuleni, zafascynowani i przerażeni widokiem. Widzieli na horyzoncie ogniste kule i ze dwadzieścia opadających zielonych świateł rozpraszających ciemności. Nikt i nic na pustyni w ich blasku nie mogło się ukryć.

– To tylko ćwiczenia wojskowe – próbował przekrzyczeć huk. – Operacja sił powietrznych. W okolicy jest wiele baz wojskowych. Widziałem je na mapie. Ale wolałem uwierzyć, że to anioły.

„To narzędzia w rękach aniołów", pomyślała. „Aniołów śmierci".

Złocisty blask wybuchających pocisków mieszał się z zielonym światłem spadających z wolna na spadochronach flar, oświetlających cel bombowcom.

Ćwiczenia trwały około trzydziestu minut. Tak jak się nagle pojawiły, samoloty zniknęły w jednym mgnieniu oka, a na pustynię wróciła cisza. Ostatnie zielone światła opadły na ziemię i zgasły. Znów widzieli gwiazdy, ziemia przestała drżeć w posadach.

◎

Paulo wziął głęboki wdech. Zamknął oczy i powtarzał sobie: „Wygrałem zakład. Nie ma wątpliwości, że wygrałem zakład". Drugi umysł budził się i znikał. Jego głos upierał się, że przegrał. Wszystko sobie wymyślił. Anioł nigdy nie pokaże mu swojego oblicza. Paulo wbił z całej siły paznokieć palca wskazującego w kciuk i poczekał, aż ból stanie się nie do wytrzymania. W bólu zapomina się o głupich myślach.

– Zobaczę mojego anioła – powtarzał, kiedy już schodzili ze szczytu.

Znowu poczuła skurcz w sercu. Nie chciała, żeby się domyślił, co czuje. Lepiej posłuchać, co podpowiada jej drugi umysł, a radził zmienić temat.

– Chcę cię o coś zapytać – powiedziała.

– Nie pytaj o cud. Zdarzy się albo nie. Nie traćmy czasu i energii na rozmowy na ten temat.

– Chcę zapytać o coś innego.

Zawahała się, jak sformułować pytanie. Paulo był jej mężem. Znał ją lepiej niż ktokolwiek inny. Bała się jego odpowiedzi – jego słowa były dla niej ważne. Postanowiła mimo wszystko zapytać. Nie mogła zostać z tym dręczącym pytaniem.

– Uważasz, że dokonałam złego wyboru? – wyjąkała. – Uważasz, że zmarnowałam sobie życie rzucając ziarno w ziemię, patrząc na rosnące łany i ciesząc się na zbiory, zamiast rzucić się w wir wielkich emocji nocnych łowów?

Szedł patrząc w niebo. Wciąż myślał o swoim zakładzic i o samolotach.

– Często patrzę na ludzi takich jak J. – powiedział w końcu – ludzi żyjących w spokoju i przez ten wewnętrzny spokój odnajdujących jedność z Bogiem. Przyglądam się tobie. Udało ci się rozmawiać ze swoim aniołem na długo przede mną, chociaż to ja przyjechałem tutaj w tym celu. Zasypiasz bez żadnych problemów, a ja przez całe noce patrzę w okno i zadaję sobie to samo pytanie: dlaczego nie zdarza się cud, na który czekam tak niecierpliwie. Wtedy pytam samego siebie: czy popełniłem błąd wybierając? Jak uważasz? Popełniłem błąd?

Chris ujęła go za rękę.

– Oczywiście, że nie. Byłbyś nieszczęśliwy.

– Tak samo ty, byłabyś nieszczęśliwa, gdybyś poszła moją drogą.

„Jak dobrze to wiedzieć”, pomyślała.

Podniósł się bezszelestnie z łóżka, zanim zadzwonił budzik. Ubrał się i spojrzał przez okno: panowały głębokie ciemności.

Chris spała niespokojnym snem. Przez chwilę chciał ją obudzić i powiedzieć, dokąd się wybiera. Poprosić, żeby się za niego modliła. Jednak zrezygnował. Opowie jej wszystko po powrocie. W końcu tam, gdzie idzie, nic mu nie grozi.

Zapalił światło w łazience. Napełnił bidon wodą. Potem podłożył złożone dłonie pod kran. Wypił tyle wody, ile był w stanie. Nie wiedział, jak długo spędzi na pustyni.

Założył buty, spojrzał na mapę i jeszcze raz sprawdził drogę. Przygotował się do wyjścia.

Nie mógł znaleźć kluczyków do samochodu. Sprawdził kieszenie, plecak, nocny stolik. Bez rezultatu. Pomyślał o zapaleniu lampy, ale nie chciał jej budzić. Światło z łazienki musi mu wystarczyć. Nie powinien tracić czasu. Każda minuta w hotelu to minuta mniej w oczekiwaniu na anioła. Za cztery godziny pustynne słońce będzie paliło niemiłosiernie.

„Czyżby Chris schowała przede mną kluczyki?", pomyślał. Była teraz zupełnie inną kobietą – rozmawiała ze swoim aniołem, miała coraz lepszą intuicję. Kto wie, może odgadła jego plany i po prostu się bała?

„Czego by się miała bać?". Tej samej nocy, kiedy zobaczył ją stojącą obok Walhalli na skraju przepaści, złożyli oboje uroczystą przysięgę: do końca pobytu na pustyni żadne z nich nie zaryzykuje życiem. W ostatnich tygodniach kilka razy ocierali się o śmierć. Nie było sensu wystawiać na próbę cierpliwości anioła stróża. Chris znała męża doskonale i wiedziała, że zawsze dotrzymuje danego słowa. Właśnie dlatego wychodził przed wschodem słońca – żeby uniknąć niebezpieczeństw czyhających w mrokach nocy i tych, które krył w sobie jasny dzień.

Musiała się jednak o niego bać, skoro ukryła kluczyki.

Podszedł do łóżka z zamiarem obudzenia żony. Nagle zatrzymał wyciągnięte w jej kierunku ramię.

Jak mógł o tym nie pomyśleć! Nie bała się o jego bezpieczeństwo, nie lękała się, że znowu pakuje się w kłopoty. To musiał być inny rodzaj strachu – Chris obawiała się, że zostanie pokonany. Zdawała sobie sprawę, że Paulo w jakiś sposób będzie się starał sprowokować los, a do powrotu do domu zostały jeszcze tylko dwa dni.

◎

„Dobrze, że to zrobiłaś, Chris", uśmiechnął się pod nosem. „Przez dwa lata rozpamiętywałbym porażkę, a ty musiałabyś znosić moje humory, spędzać u mojego boku bezsenne noce, cierpieć razem ze mną. Byłoby znacznie gorzej niż przez tych kilka dni, zanim odkryłem, jak przyjąć zakład".

Zaczął szperać w jej rzeczach. Kluczyki znalazł w saszetce razem z pieniędzmi i paszportem. Przypomniał sobie przysięgę złożoną w noc Rytuału Unieważniającego Rytuały. Historia z kluczykami mogła być ostrzeżeniem przed podejmowaniem nieodpowiedzialnego ryzyka. Nie wolno wypuszczać się na pustynię nie zostawiwszy wiadomości o celu wyprawy. Wyprawa nie zajmie wiele czasu, zresztą nie wybierał się daleko – w razie czego mógł wrócić pieszo. Mimo wszystko wolał nie ryzykować – w końcu złożył przysięgę.

Rozłożył mapę na umywalce w łazience. Pianką do golenia oznaczył krąg wokół jednego miejsca: kanionu Glorieta.

Na lustrze napisał tą samą pianką: NIE ZBŁĄDZĘ.

Włożył tenisówki i wyszedł z pokoju.

Miał włączyć silnik, kiedy spostrzegł, że kluczyk tkwił w stacyjce.

„Dorobiła sobie kluczyki", pomyślał. „Po co? Myślała, że zostawię ją samą w środku pustyni i odejdę?".

Przypomniał sobie, jak Took wrócił do samochodu po latarkę, i jak tłumaczył swoje dziwne zachowanie. To szukając kluczyka przypomniał sobie o zostawieniu wiadomości, dokąd się wybiera. Najwyraźniej jego anioł zadbał, żeby podjął wszelkie środki ostrożności.

◎

Ulice Borrego Springs były wyludnione. „Jak w samo południe", pomyślał. Przypomniał sobie pierwszą noc na pustyni, kiedy wyobrażali sobie, jak wyglądają ich anioły. Wtedy pragnął jedynie nauczyć się ze swoim rozmawiać.

Wyjechał z miasteczka i skierował się w stronę kanionu Glorieta. Na prawo wznosiły się góry, to samo pasmo, z którego zjechali pierwszego dnia. „Pierwszego dnia", pomyślał i zdał sobie sprawę, że od przyjazdu na pustynię upłynęło zaledwie 38 dni.

Podobnie jak dusza Chris, i jego dusza umierała wiele razy. Odkrywał tajemnicę, którą znał od dawna. Zajrzał w oczy słońca i były to oczy śmierci. Spotkał kobiety, które wydały się aniołami i demonami zarazem. Wrócił w mroki ciemności, o której od dawna chciał zapomnieć. Odkrył, że chociaż imię Jezusa nie schodziło z jego ust, to nigdy tak naprawdę nie przyjął Jego przebaczenia.

Po raz drugi w życiu spotkał swoją żonę, i to w chwili, kiedy uwierzył, że traci ją na zawsze – bo (o tym Chris nie może się nigdy dowiedzieć) zakochał się w Walhalli.

Wtedy też zdał sobie sprawę z różnicy między zadurzeniem a miłością. Przecież to było takie proste, jak rozmowa z aniołami.

Walhalla była wytworem wyobraźni – wojowniczką, łowczynią, rozmawiającą z aniołami, zawsze gotową do podjęcia ryzyka, byle tylko przekroczyć własne granice. Ją też pociągał Paulo – nosił pierścień Tradycji Księżyca, był magiem obeznanym z tajnikami okultyzmu, marzycielem, zdolnym rzucić wszystko i ruszyć na spotkanie aniołów. Coś by ich do siebie zawsze ciągnęło, o ile pozostaliby tacy, jak sobie wyobrażali.

Teraz wszystko wydajc się takie proste. Zadurzyć się to stworzyć sobie w sercu czyjś wyidealizowany obraz. Pewnego dnia, kiedy życie pod jednym dachem objawia prawdziwe charaktery obojga, okazuje się, że za maską Maga i Walkirii kryją się mężczyzna i kobieta z krwi i kości, obdarzeni mocą, posiadający tajemną wiedzę, lecz – nie można uciec przed rzeczywistością – jedynie mężczyzna i kobieta. Każde ze swoimi lękami i pasjami, z wadami i zaletami, jak wszyscy śmiertelnicy.

Kiedy jedno z nich odkrywa swoje prawdziwe oblicze, drugie pragnie uciec, bo runął jego wyimaginowany świat.

Odnalazł prawdziwą miłość na krawędzi przepaści, kiedy dwie kobiety walczyły o niego w świetle księżyca. Miłość to dzielenie świata z drugą osobą. Znał doskonale jedną z tych kobiet. Właśnie z nią dzielił cały ogromny Wszechświat. Patrzyli na te same góry, te same drzewa, ale każde z nich widziało je inaczej. Znała jego słabe strony, widziała chwile, gdy dopadała go nienawiść, przepełniała gorycz, a jednak trwała u jego boku.

Dzielili ze sobą cały ogromny Wszechświat. Chociaż często wydawało mu się, że ten Wszechświat nie kryje już w sobie żadnych tajemnic, dopiero w Dolinie Śmierci odkrył, jak bardzo się mylił.

◎

Zatrzymał samochód, wyłączył silnik. Przed nim otwierał się kanion. Wybrał to miejsce ze względu na nazwę – przecież anioły są obecne zawsze i wszędzie. Wysiadł z auta, napił się wody z kanistra, który woził w bagażniku i przypiął sobie do pasa napełniony bidon.

Wchodząc między skaliste zbocza kanionu wciąż rozmyślał o Walhalli i o Chris. „Pewnie zadurzę się jeszcze nie raz", przyznał uczciwie. Nie czuł się winny. Nie jest źle się czasem zadurzyć. To dobra zabawa, urozmaicenie, przypływ adrenaliny.

Miłość natomiast to coś zupełnie innego. Za miłość warto zapłacić każdą cenę i nie należy jej rozmieniać na drobne.

Zatrzymał się przy wejściu do kanionu i spojrzał na dolinę. Niebo zaczynało się czerwienić na horyzoncie. Po raz pierwszy w życiu oglądał na pustyni wschód słońca. Nawet kiedy spędzali noce pod gołym niebem, zawsze budził się, gdy słońce już stało wysoko.

„Niewiele brakowało, a nigdy bym tego nie zobaczył”, pomyślał. W oddali połyskiwały szczyty gór, dolinę napełniała różowa jasność rozlewająca się na kamienie i ubogą roślinność. Stał przez dłuższą chwilę i kontemplował piękny widok.

Przypomniał sobie swoją książkę, która właśnie wychodziła w Brazylii. W jednym z jej fragmentów pasterz Santiago wspina się na górę, żeby popatrzeć na pustynię. Poza tym, że nie stał na szczycie góry, opisany przed ośmioma miesiącami obraz i to, co widział przed sobą było niemal identyczne. W tym samym momencie uświadomił sobie, co oznacza nazwa amerykańskiego miasta, w którym wylądowali.

Los Angeles to po hiszpańsku Aniołowie.

Nie była to jednak odpowiednia pora, żeby rozmyślać o znakach napotkanych po drodze.

– Aniele Stróżu mój – powiedział ściszonym głosem – widzę Twoją twarz. Widzę Ciebie. Poprzedzasz mnie stale, a ja nigdy nie potrafiłem Cię rozpoznać. Słyszę Twój głos. Z dnia na dzień słyszę go coraz wyraźniej. Jestem przekonany o Twoim istnieniu, ponieważ mówi się o Tobie w każdym zakątku świata. Jeden człowiek może się pomylić. Mogą się mylić nawet całe społeczności. Ale wszystkie cywilizacje, nawet w najdalszych zakątkach ziemi, zawsze mówiły o aniołach. Dziś tylko dzieci, starcy i prorocy opowiadają o was. I będą nadal opowiadać, przekazując te opowieści z pokolenia na pokolenie, a dzieci, starcy i prorocy będą zawsze.

Nagle na wysokości jego oczu pojawił się błękitny motyl. To anioł odpowiadał mu radosnym tańcem.

– Zerwałem pakt. Przyjąłem przebaczenie.

Motyl latał to tu, to tam. Paulo widział na pustyni wiele białych motyli, ale jak dotąd ani jednego błękitnego. Jego anioł był uradowany.

– Przyjąłem zakład. Tamtej nocy na szczycie góry postawiłem całą swoją wiarę w Boga, w życie, w moją pracę, w J., postawiłem wszystko, co mam. Założyłem się, że kiedy otworzę oczy, Ty staniesz przede mną. Położyłem na jedną szalę całe swoje życie. Prosiłem, żebyś na drugiej ofiarował mi swój wizerunek. Otworzyłem oczy i ujrzałem przed sobą pustynię. Przez chwilę byłem pewien, że przegrałem. Wtedy – noszę to w pamięci jak najsłodsze wspomnienie – przemówiłeś!

Jasność rozbłysła na horyzoncie. Wschodziło słońce.

– Pamiętasz swoje słowa? Mówiłeś: „Rozejrzyj się dookoła. To moja twarz. Jestem wszędzie, gdzie ty jesteś. Otulam cię swoim płaszczem – promieniami słońca w dzień, blaskiem gwiazd w nocy". Doskonale słyszałem

Twój głos! Powiedziałeś jeszcze: „Zawsze będę ci potrzebny!”.

Był szczęśliwy. Czekał na wschód słońca. Tego poranka chciał nasycić wzrok obliczem swojego anioła. Później opowie Chris, czego dotyczył zakład. Powie jej, że zobaczyć anioła jest dużo prościej, niż z nim rozmawiać! Wystarczy wierzyć w istnienie aniołów. Wystarczy ich potrzebować. Wtedy przychodzą, jasne jak promienie poranka. Pomagają, chronią i dają dobre rady. Dbają też o to, żeby legenda o nich przechodziła z pokolenia na pokolenie. Pragną przetrwać w ludzkiej pamięci.

„Pisz”, podpowiadał mu jakiś wewnętrzny głos.

Jakaś wewnętrzna siła kazała mu pisać. Próbował skoncentrować się na linii horyzontu i na pustyni. Bezskutecznie.

Wrócił do samochodu, wziął papier i długopis. Posiadał pewne doświadczenie w piśmie automatycznym, ale nie ćwiczył go długo. J. uważał, że nie ma do tego daru, że powinien szukać swojego największego talentu.

Usiadł na piasku z długopisem w dłoni i starał się zrelaksować. Za kilka chwil długopis powinien zacząć poruszać się samoistnie, nakreślić kilka pierwszych znaków, całe wyrazy. On sam straci na pewien czas świadomość, pozwoli, żeby ktoś się w niego wcielił, duch zmarłego albo anioł.

Poddał się temu całkowicie, stał się narzędziem, ale nic się nie działo. Znowu usłyszał głos: „Pisz”.

Przestraszył się. Żaden duch się w niego nie wcielał. Doświadczał channelingu wbrew swojej woli, jakby jego anioł rzeczywiście był obecny i do niego przemawiał. To nie pismo automatyczne.

Ścisnął mocniej długopis. Na papierze pojawiało się słowo za słowem. Pisał szybko, nie zastanawiając się, co pisze:

Przez wzgląd na Syjon nie umilknę,
przez wzgląd na Jerozolimę nie spocznę,
dopóki jej sprawiedliwość nie błyśnie jak zorza
i zbawienie jej nie zapłonie jak pochodnia.

Nic podobnego nigdy wcześniej mu nie przyszło do głowy. Słyszał głos, który dyktował mu słowa.

I nazwą cię nowym imieniem,
które usta Pana oznaczą.
Będziesz prześliczną koroną w rękach Pana,
królewskim diademem w dłoni twego Boga.
Nie będą więcej mówić o tobie „Porzucona",
o krainie twej już nie powiedzą „Spustoszona".
Raczej cię nazwą „Moje w niej upodobanie",
a krainę twoją „Poślubiona".

Próbował się dowiedzieć, komu ma przekazać te słowa.

„To już zostało powiedziane", usłyszał. „Teraz jest tylko przypomniane".

Poczuł palącą suchość w gardle. Był świadkiem cudu. Dziękował za to Bogu.

Złocisty medalion słońca wschodził nad horyzontem. Paulo odłożył notes i długopis. Wstał, wyciągnął ramiona w kierunku światła. Prosił, żeby cała energia nadziei, którą każdy nowy dzień wlewa w serca milionów mieszkańców Ziemi, przez jego wyciągnięte ku słońcu palce przeniknęła także do jego serca. Modlił się, żeby wytrwać w wierze w nowy świat, w anioły, w otwarte bramy Raju. Błagał o opiekę anioła i Dziewicy dla siebie, dla wszystkich, których kochał, dla swojej pracy.

Motyl – jakby posłuszny woli anioła – przysiadł na jego lewej dłoni. Paulo stał w bezruchu. Oto kolejny cud: jego anioł znów odpowiedział.

Poczuł, jak w tym momencie zatrzymuje się cały Wszechświat: słońce, motyl, pustynia.

Po chwili zadrgało wokół niego powietrze. To nie był powiew wiatru. Miał raczej wrażenie, jakby obok z dużą prędkością przejechała ciężarówka.

Po plecach przebiegł mu dreszcz.

Poczuł czyjąś obecność.

– Nie rozglądaj się – usłyszał.

Serce waliło mu jak opętane. Kręciło mu się w głowie. Wiedział, że to strach, śmiertelny strach. Stał nieruchomo z wyciągniętymi ku słońcu ramionami. Na jednym z nich wciąż siedział błękitny motyl.

„Zemdleję ze strachu", pomyślał.

– Nie mdlej – upominał głos.

Starał się zapanować nad sobą, ale miał ręce lodowato zimne i cały trząsł się jak w febrze. Motyl odleciał, a Paulo opuścił ramiona.

– Uklęknij – nakazał głos.

Padł na kolana. Nie był w stanie myśleć o czymkolwiek. Nie miał nawet dokąd uciekać.

– Posprzątaj ziemię, na której klęczysz.

Wykonał polecenie: oczyścił i wygładził małą przestrzeń przed sobą. Serce wciąż waliło mu młotem, coraz mocniej kręciło mu się w głowie. Bał się, że dostanie ataku serca.

– Patrz w ziemię.

Przeraźliwie jasne światło, prawie tak intensywne jak promienie wschodzącego słońca, rozbłysło po jego lewej stronie. Bał się w nie spojrzeć. Pragnął jedynie, żeby wszystko już się skończyło. Przez ułamek sekundy przypomniał sobie, jak w dzieciństwie opowiadano mu o objawieniach Matki Boskiej. Często nie spał nocami prosząc Boga, żeby mu oszczędził odwiedzin Dziewicy. Bał się jej widoku.

Takie samo przerażenie odczuwał w tym właśnie momencie.

– Patrz w ziemię – powtórzył głos.

Wpatrywał się w oczyszczony przez siebie skrawek ziemi. I wtedy pojawiło się złociste ramię, połyskujące niczym promień słońca, i zapisało coś na piasku.

– To jest moje imię – oznajmił głos.

Zawroty głowy i strach nie opuszczały go. Serce uderzało w coraz szybszym tempie.

– Miej wiarę – usłyszał. – Bramy pozostaną otwarte jeszcze przez jakiś czas.

– Chcę coś powiedzieć! – krzyknął zbierając się na odwagę. Stojące wysoko słońce powoli dodawało mu sił.

Nie usłyszał żadnej odpowiedzi.

◎

Godzinę później, kiedy zjawiła się Chris – obudziła właściciela hotelu i zażądała, żeby ją zawiózł we wskazane przez męża miejsce – Paulo wciąż wpatrywał się w wypisane na piasku imię.

Oboje przyglądali się, jak Paulo rozrabia cement.

– Tyle zmarnowanej wody na pustyni – Took zaśmiał się z własnego dowcipu.

Chris prosiła, żeby nie drwił z Paula, który wciąż był pod wielkim wrażeniem tego, co mu się przydarzyło.

– Wiem, skąd pochodzą te wersety – powiedział Took. – Z Izajasza.

– Dlaczego właśnie te wersety? – zapytała Chris.

– Nie mam pojęcia. Ale je zapamiętam.

– Jest tam mowa o nowym świecie – ciągnęła Chris.

– Może właśnie z tego powodu. Może to dlatego.

Paulo zawołał ich.

We troje zmówili modlitwę. Potem Paulo wspiął się na głaz, nałożył mokrą zaprawę i umieścił w niej figurkę Matki Boskiej, którą wszędzie ze sobą woził.

– Gotowe.

– Strażnicy parku mogą to usunąć – rzekł Took. – Traktują tę pustynię jak ogród botaniczny.

– Całkiem możliwe – zgodził się Paulo. – Ale najważniejsze, że upamiętniłem to miejsce. Na zawsze pozostanie jednym z moich świętych miejsc.

– Nic z tego – powiedział Took. – Święte miejsca są unikalnymi spotkaniami. Tu podyktowane zostały słowa, które już istniały. Mówiły o nadziei i dawno już popadły w niepamięć.

Paulo nie chciał teraz nawet o tym myśleć. Wciąż był przerażony swoją wizją.

– To miejsce ma bardzo szczególną energię. Tutaj możemy poczuć energię duszy świata – wymądrzał się Took. – I zawsze będzie można ją poczuć. To miejsce Mocy.

Zabrali folię, na której Paulo mieszał zaprawę, włożyli do bagażnika i pojechali odwieźć Tooka do starej przyczepy.

– Paulo! – zawołał chłopak, kiedy się już pożegnali. – Przypomnij sobie stare przysłowie: „Kiedy Bóg chce komuś pomieszać w głowie, spełnia wszystkie jego życzenia".

– Może masz rację – usłyszał w odpowiedzi. – Ale warto było zaryzykować.

Epilog

Pewnego dnia, półtora roku po spotkaniu z aniołem, znalazłem w poczcie kopertę zaadresowaną w Los Angeles. Był to list od jednej z moich brazylijskich czytelniczek, Rity de Freitas, mieszkającej w Stanach Zjednoczonych. W liście dziękowała mi za *Alchemika*.

Pod wpływem impulsu odpisałem jej, prosząc, żeby pojechała do kanionu Glorieta w pobliżu Borrego Springs i sprawdziła, czy jest tam jeszcze moja figurka Matki Boskiej z Aparecidy.

List wysłałem, a po chwili naszły mnie wątpliwości. „Idiota ze mnie”, myślałem. „Jestem dla tej kobiety obcym człowiekiem. Po prostu chciała być uprzejma i podziękowała mi za książkę. Nigdy nie spełni mojego życzenia. Przecież nie wsiądzie w samochód, nie spędzi w podróży sześciu godzin, nie wysiądzie na pustyni, tylko po to, żeby odszukać jakąś figurkę”.

Krótko przed Bożym Narodzeniem 1989 roku dostałem odpowiedź od Rity. Oto fragment jej listu:

Ostatnio dziwne rzeczy się działy. Dostałam tygodniowy urlop w okresie Święta Dziękczynienia. Z narzeczonym (nazywa się Andrea i jest muzykiem z Włoch) planowaliśmy gdzieś wyjechać.

Wtedy nadszedł Pański list! A miejsce, o którym Pan pisał, znajduje się blisko rezerwatu Indian. Postanowiliśmy tam pojechać. (...)

W trzecim dniu pobytu na pustyni – dokładnie w Święto Dziękczynienia – wyruszyliśmy do kanionu Glorieta. Jechaliśmy bardzo wolno, a ja bacznie się rozglądałam, ale figurki nigdzie nie mogłam dostrzec. Dotarliśmy do końca kanionu, wysiedliśmy i postanowiliśmy wspiąć się na sam szczyt. Po drodze natrafiliśmy jedynie na ślady kojotów.

Doszliśmy do wniosku, że figurki już tam nie ma. (...)

W drodze powrotnej zauważyliśmy w pewnym miejscu kwiaty wśród skał. To dość osobliwe, zostawiać kwiaty w samym środku pustyni. Zatrzymaliśmy się, wysiedliśmy z auta. Oprócz kwiatów zobaczyliśmy maleńkie płonące znicze, kawałek złocistej tkaniny z wyszytym na niej motylem i rzucony z boku słomiany koszyk. Najwyraźniej w tym miejscu musiała się kiedyś znajdować figurka Niepokalanej, ale już jej tam nie było.

Najdziwniejsze jest jedno: jestem przekonana, że kiedy przejeżdżaliśmy koło tych kamieni za pierwszym razem, żadnych kwiatów ani świec tam nie było. Zrobiłam zdjęcie, które załączam.

U wylotu kanionu, zobaczyliśmy ubraną na biało kobietę, idącą skrajem drogi. Miała na sobie jakby arabski strój: długi kaftan i turban na głowie. Czy to nie dziwne, że pojawiła się w środku pustyni nie wiadomo skąd? Przecież po drodze nie widzieliśmy żadnych samochodów.

Zastanawiałam się, czy to nie ta kobieta zostawiła kwiaty i zapaliła znicze. W jaki sposób tu dotarła?

Tak mnie to wytrąciło z równowagi, że nawet nie przyszło mi do głowy, żeby z nią porozmawiać.

@

Przypatrywałem się załączonemu do listu zdjęciu. Bez wątpienia zostało zrobione w miejscu, gdzie wmurowałem figurkę Matki Boskiej.

Zdjęcie zrobione w Święto Dziękczynienia! Jestem pewien, że tego dnia było wiele aniołów na pustyni.

Tę książkę pisałem w styczniu i lutym 1992 roku, krótko po zakończeniu „trzeciej" wojny światowej, w której stosowano taktyki dużo bardziej wyszukane niż broń konwencjonalna. Według Tradycji ta wojna rozpoczęła się w latach pięćdziesiątych. Za jej początek uważa się blokadę Berlina, a za jej koniec runięcie Muru Berlińskiego. Jak w każdej wojnie byli zwycięzcy i zwyciężeni. Wielkie imperium zostało podzielone na strefy wpływów jak po zakończeniu każdej wojny konwencjonalnej. Nie użyto tylko broni nuklearnej. Zresztą zagłada atomowa nigdy nie nastąpi, gdyż Dzieło Boże jest zbyt wielkie, żeby mogła je zniszczyć ręka ludzka.

Tradycja mówi o nowej wojnie, która wkrótce się rozpocznie, bardziej perfidnej od poprzedniej. O wojnie, której nikt nie przeżyje, ponieważ człowiek ciągle doskonali się w sztuce wojennej. Naprzeciw siebie staną dwie armie. Z jednej strony ci, którzy wierzą w rodzaj ludzki, w duchową potęgę człowieka, i są przekonani, że przyszłość należy do ludzi rozwijających swoje indywidualne talenty. Z drugiej ci, którzy nie wierzą w przyszłość, są przeświadczeni, że życie ma swój materialny kres, oraz ci, co przekonani co do własnej nieomylności nakazami i zakazami usiłują zmusić innych do pójścia w ich ślady.

Właśnie dlatego powracają aniołowie. Należy ich słuchać, bo tylko oni znają drogę, nikt inny. Dzielenie się swoim doświadczeniem jest możliwe – uczyniłem to w tej książce. Nie ma jednak gotowej recepty na duchowe wzrastanie. Bóg daje nam do dyspozycji niezmierzoną mądrość i bezgraniczną miłość. Jedynie od nas zależy, w jaki sposób je wykorzystamy. Wystarczy ćwiczyć channeling – sposób komunikowania tak prosty, że trudno mi przyszło go zaakceptować i stosować. Walki toczyć się będą na planie astralnym, nasi aniołowie stróże będą za nas toczyć boje z mieczem i tarczą w dłoniach. Będą nas chronić przed niebezpieczeństwami i prowadzić do zwycięstwa. Jednak na nas również spoczywa wielka odpowiedzialność. W tym momencie Historii Świata musimy dbać o rozwój własnych talentów i uwierzyć, że Wszechświat nie kończy się na czterech ścianach naszych domów. Przyszedł czas na odczytanie znaków, na spełnienie marzeń, na wsłuchanie się w głos serca.

Jesteśmy odpowiedzialni za wszystko to, co dzieje się na tym świecie. Jesteśmy Wojownikami Światła. Siłą miłości i siłą woli możemy zmienić nasze przeznaczenie i przeznaczenie wielu ludzi.

Nadchodzi dzień, w którym problem głodu na świecie zostanie rozwiązany za pomocą cudu pomnożenia chleba. Nadchodzi dzień, kiedy miłość zamieszka we wszystkich sercach, a samotność – rzecz gorsza nawet od głodu – zniknie z powierzchni ziemi. Nadchodzi dzień, w którym przed pukającymi otworzą się drzwi, proszący o wsparcie je otrzymają, a płaczący zostaną pocieszeni.

Upłynąć musi jeszcze dużo czasu, zanim ten dzień nastanie dla całej planety. Jednak dla każdego z nas z osobna może on przyjść już dzisiaj. Wystarczy uwierzyć, że miłość Boga i bliźniego wskaże nam drogę. Zapomnieć o swoich wadach, o ciemnych zakamarkach duszy, o długo skrywanej nienawiści, o momentach słabości i rozpaczy. Jeżeli chcemy najpierw pozbyć się swoich wad, żeby dopiero potem spełniać marzenia, nigdy nie dotrzemy do bram Raju. Jeżeli jednak pogodzimy się z własnymi niedoskonałościami i mimo wszystko uwierzymy, że zasługujemy na szczęście, otworzymy ogromne okno, przez które w nasze życie wkroczy Miłość. Nasze słabości znikną jedna po drugiej, ponieważ ludzie szczęśliwi patrzą na świat z Miłością, a jej siła odnawia wszystko, co istnieje we Wszechświecie.

W *Braciach Karamazow* Dostojewski opowiada historię Wielkiego Inkwizytora, którą przekazuję tu własnymi słowami:

W czasie prześladowań religijnych w Sewilli, kiedy wszyscy mający inne zdanie niż oficjalnie głoszone przez Kościół trafiali do więzień i ginęli na stosie, sam Chrystus zstąpił na ziemię i zmieszał się z tłumem. Wielki Inkwizytor wypatrzył Jezusa i kazał go aresztować.

W nocy schodzi do celi, w której trzymają Jezusa. Pyta więźnia, dlaczego postanowił wrócić właśnie teraz. „Przeszkadzasz nam", rzecze. „Twoje idee były bardzo piękne, ale tylko nam udaje się je zastosować w praktyce. Może w przyszłości Inkwizycja zostanie surowo oceniona", argumentuje, „ale teraz jest niezbędna i doskonale spełnia postawione przed nią zadania. Po co gadać o pokoju, kiedy w ludzkich sercach trwa bezustanna wojna? Po co mówić o lepszym świecie, skoro ludzkie serca przepełnia nienawiść? Nie warto poświęcać życia w imię ludzkości pogrążonej wciąż w poczuciu winy. Mówiłeś, że wszyscy ludzie są równi, że mają w sobie boskie światło, ale zapomniałeś o tym, że są też bardzo zagubieni i potrzebują przywództwa. Nie przeszkadzaj nam w pracy i wynoś się stąd", kończy swój wywód Wielki Inkwizytor.

W celi zapada cisza, a po chwili Jezus podchodzi do niego i całuje go w policzek.

„Być może masz rację", przyznaje. „Jednak moja miłość jest silniejsza".

Świat się zmienia, a my stanowimy część tej zmiany. Nie jesteśmy sami. Anioły nas chronią i wskazują nam drogę. Mimo całej niesprawiedliwości, mimo nieszczęść, które stają się naszym udziałem, chociaż na nie nie zasłużyliśmy, mimo to, że nie czujemy się na siłach, żeby zmienić świat i ludzi, wbrew argumentom wszystkich Wielkich Inkwizytorów – wierzymy, że Miłość jest potężniejsza nad wszystko inne i pomoże nam rozwijać się duchowo. Dopiero wtedy będziemy w stanie pojąć gwiazdy, anioły i cuda.

w książce wykorzystano fragmenty
Ballady o więzieniu w Reading
Oscara Wilde'a
w tłum. Adama Włodka
Wydawnictwo Literackie, Kraków 1976

SPIS TREŚCI

W PRZYGOTOWANIU:

Simon **Leys** • Szczęście małych rybek • [listopad 2010]

Carl **Honoré** • Pod presją. Jak przywrócić dzieciom dzieciństwo • [luty 2011]

Jean-Claude **Carrière** • Alfabet zakochanego w Meksyku • [maj 2011]

NASI AUTORZY, NASZE KSIĄŻKI:

Juan **Arias** • Zwierzenia Pielgrzyma. Rozmowy z Paulem Coelho [2003]

Michał **Batory** • Grafika emocjonalna • [2008]

Grzegorz **Brzozowicz** • Goran Bregović. Szczęściarz z Sarajewa [1999]

Jean-Claude **Carrière** • Alfabet zakochanego w Indiach • [2009]

Paulo **Coelho** :

Alchemik [1995] • Brida [2008] • Czarownica z Portobello [2007] • Demon i panna Prym [2002] • Jedenaście minut [2004] • Na brzegu rzeki Piedry usiadłam i płakałam... [1997] • Piąta Góra [1998] • Podręcznik wojownika światła [2000] • Walkirie [2010] • Weronika postanawia umrzeć [2000] • Zahir [2005] • Zwycięzca jest sam [2009]

Wojciech **Eichelberger**, Renata **Dziurdzikowska** • Mężczyzna też człowiek [2003]

Wojciech **Eichelberger**, Wojciech **Szczawiński** • Alchemia *Alchemika* [2001]

Khalil **Gibran** :

Prorok oraz Listy miłosne Proroka w wyborze i adaptacji Paula Coelho [2006] • Szaleniec [2002]

Cathi **Hanauer** • Jędza w domu [2007]

Daniel **Jones** • Drań na kanapie [2008]

William **Kamkwamba**, Bryan **Mealer** • O chłopcu, który ujarzmił wiatr [2010]

Aleksandra **Kroh** • Jan Potocki. Daleka podróż [2007]

Edward **Lear** • Dong co ma świecący nos [1999]

Liezi • Prawdziwa Księga Pustki • Przypowieści taoistyczne [2006]

Fernando **Morais** • Czarodziej. Biografia Paula Coelho [2009]

Vedrana **Rudan** :

Miłość od ostatniego wejrzenia [2005] • Murzyni we Florencji [2010] • Ucho, gardło, nóż... [2004]

Magdalena **Rybak** • Olśnienia [2009]

Idries **Shah**:

Fortele niewiarygodnego hodży Nasreddina [2004] • Mądrość głupców [2002] • Wyczyny niezrównanego hodży Nasreddina [2003] • Zaczarowana świątynia [2003] • Żarty niedoścignionego hodży Nasreddina [2009]

Galsan **Tschinag** • Koniec pieśni [2007]

Polly **Williams** • Wzloty i upadki Super Mamy [2008]

Wyłączny dystrybutor

www.olesiejuk.pl

Druk i oprawa:

Z.P. DRUK-SERWIS, G. GÓRSKA SP. J.
ul. Tysiąclecia 8b • 06-400 Ciechanów